REPAS
EN UN PLAT

Les compagnies canadiennes suivantes ont participé à la production
de cette collection: Colour Technologies, Fred Bird & Associates Limited,
Gordon Sibley Design Inc., On-line Graphics, Les Éditions Télémédia Inc. et
The Madison Book Group Inc.

Coup de pouce est une marque déposée des Éditions Télémédia Inc.
Tous droits réservés, qu'ils aient été déposés ou non.

Nous remercions pour leur contribution
Drew Warner, Joie Warner et Flavor Publications.

Cette collection est une production de:
The Madison Book Group Inc.
40 Madison Avenue
Toronto, Ontario
Canada
M5R 2S1

REPAS EN UN PLAT

■ *Couverture:
Ragoût de boeuf à la
provençale (p. 10).*

Un repas en un plat. Quelle bonne idée! Il y a les soupes riches, bien consistantes, comme la *Chaudrée d'aiglefin* et le *Bortsch*, et les succulents ragoûts comme le *Ragoût de boeuf à la provençale*, le *Ragoût de veau au paprika* et le *Petit ragoût d'huîtres*. Il y a également les plats à l'ancienne, toujours bons et réconfortants, tels que le *Pâté au boeuf*, le *Pain de viande, sauce au poivre et aux champignons*, la *Casserole d'agneau* et le *Macaroni au jambon, aux épinards et au fromage*. Les plats aux légumes tels que le *Gratin de chili aux légumes*, la *Casserole de raclette* et la *Frittata au spaghetti* peuvent aussi composer de merveilleux repas. Les conseils et les suggestions concernant le service vous aideront à apprêter, en ajoutant simplement une salade verte et du pain croustillant, des repas complets et savoureux que vous pourrez partager en famille ou avec des amis.

Repas en un plat est un des huit livres de la COLLECTION CULINAIRE COUP DE POUCE. Chaque livre présente des plats faciles et savoureux que vous ne vous lasserez pas de cuisiner. Toutes les recettes de la collection ont été sélectionnées et expérimentées avec soin pour vous assurer des résultats parfaits en tout temps. En collectionnant les huit livres, vous pourrez choisir parmi plus de 500 plats ceux qui, jour après jour, donneront un air de fête à tous vos repas.

Carole Schinck

Carole Schinck
Rédactrice en chef, *Coup de pouce*

Bortsch

Comme la plupart des soupes épaisses, le bortsch est meilleur le lendemain. Cette variante est préparée avec divers légumes dont des betteraves.

1 1/2 lb	os de boeuf	750 g
1 lb	boeuf dans le paleron	500 g
15 t	eau froide	3,75 L
1 1/2 c. à thé	sel	7 ml
8	grains de poivre	8
2 t	betteraves pelées et coupées en dés	500 ml
2 t	pommes de terre pelées et coupées en cubes	500 ml
1 t	carottes hachées	250 ml
1 t	oignon haché	250 ml
1/2 t	céleri tranché	125 ml
3 t	chou coupé en lanières	750 ml
1	gousse d'ail, broyée	1
1 1/2 t	tomates en boîte hachées	375 ml
2 c. à tab	jus de citron	30 ml
	Sel et poivre	
1 t	crème sure	250 ml
1/4 t	aneth frais haché	60 ml

■ Dans une grande marmite, mettre les os, la viande, l'eau, le sel et les grains de poivre. Amener à ébullition en écumant. Réduire le feu et laisser mijoter à découvert jusqu'à ce que la viande soit tendre, pendant 1 1/2 à 2 heures. Retirer et jeter les os. Retirer le morceau de viande et le couper en cubes de 1/2 po (1 cm). Réserver.

■ Au-dessus d'une grande casserole, filtrer le bouillon dans une étamine (coton à fromage) humectée. Ajouter les betteraves, les pommes de terre, les carottes, l'oignon et le céleri. Amener à ébullition. Réduire le feu et laisser mijoter à couvert pendant 20 minutes. Ajouter le chou, l'ail et les tomates, et poursuivre la cuisson pendant 20 minutes ou jusqu'à ce que tous les légumes soient tendres.

■ Ajouter la viande et le jus de citron. Goûter et rectifier l'assaisonnement avec un peu plus de jus de citron, du sel et du poivre. Bien réchauffer. *(La soupe peut être préparée jusqu'à cette étape, couverte et réfrigérée pendant toute une nuit. Faire chauffer avant de poursuivre la recette.)* Servir dans des bols à soupe. Garnir chaque bol d'une cuillerée de crème sure et parsemer d'aneth haché. Donne 8 à 10 portions.

(à gauche) Bortsch; (à droite) Chaudrée d'aiglefin (p. 6) ▶

Chaudrée d'aiglefin

Si vous ne pouvez vous procurer d'aiglefin, utilisez n'importe quel poisson blanc à chair ferme.

1 lb	filets d'aiglefin	500 g
4 t	eau	1 L
1 c. à thé	sel	5 ml
3 t	pommes de terre pelées et coupées en cubes	750 ml
1 t	oignon haché	250 ml
1 t	céleri haché	250 ml
	Une pincée de poivre	
1 t	lait, crème à 10 % ou lait concentré	250 ml
2 c. à tab	beurre	30 ml

■ Dans une grande casserole, mettre le poisson, l'eau et le sel. Amener à ébullition. Réduire le feu et laisser mijoter, à découvert, pendant 8 à 10 minutes ou jusqu'à ce que le poisson soit opaque. Avec une écumoire, retirer le poisson et le couper en bouchées. Réserver.

■ Écumer, s'il y a lieu, le bouillon de poisson. Ajouter les pommes de terre, l'oignon, le céleri et le poivre. Couvrir et amener à ébullition. Réduire le feu et laisser mijoter jusqu'à ce que les pommes de terre soient tendres.

■ Remettre le poisson dans la casserole. Ajouter le lait et réchauffer sans faire bouillir. Rectifier l'assaisonnement. Incorporer le beurre. Donne 6 portions.

LES CHAUDRÉES

Les chaudrées sont des soupes de poisson et de fruits de mer assez consistantes pour tenir lieu de repas. Simples et faciles à préparer, elles se composent habituellement de poisson, de pommes de terre, d'oignon et de lait, et elles sont toujours très populaires. Vous pouvez y ajouter des crevettes cuites, du persil frais ou des miettes de bacon.

Soupe automnale à la saucisse

Cette soupe peut être entièrement préparée à l'avance et conservée au réfrigérateur pendant deux jours. Vous n'aurez qu'à la réchauffer au moment de servir. Accompagnez-la de pain à la farine de maïs et d'une salade de chou. Pour dessert, servez des pêches fraîches garnies de crème fouettée.

1 lb	saucisses italiennes douces	500 g
2 c. à tab	huile végétale	30 ml
2	pommes de terre, pelées et coupées en dés	2
2	carottes, coupées en dés	2
2	branches de céleri, coupées en dés	2
1	petit rutabaga, coupé en dés	1
1	oignon, haché	1
1/2	poivron vert, coupé en dés	1/2
5 t	bouillon de boeuf	1,25 L
1/2 t	lentilles rouges sèches, rincées	125 ml
1 c. à tab	pâte de tomates	15 ml
	Sel et poivre	
2 c. à tab	persil frais haché	30 ml

■ Couper les saucisses en morceaux de 1 po (2,5 cm). Dans une grande casserole, faire chauffer 1 c. à table (15 ml) de l'huile à feu moyen. Y cuire les saucisses pendant 3 minutes. Ajouter les pommes de terre et cuire pendant 2 minutes ou jusqu'à ce qu'elles soient dorées. Réserver dans un plat tapissé de papier absorbant.

■ Ajouter le reste de l'huile dans la casserole avec les carottes, le céleri, le rutabaga, l'oignon et le poivron. Cuire pendant 3 à 5 minutes ou jusqu'à ce que les légumes soient ramollis.

■ Incorporer le bouillon, les lentilles, la pâte de tomates, du sel et du poivre. Amener à ébullition. Réduire le feu, couvrir et laisser mijoter pendant 20 minutes.

■ Ajouter les saucisses et les pommes de terre. Couvrir et laisser mijoter pendant 25 minutes ou jusqu'à ce que les légumes soient tendres. Rectifier l'assaisonnement. Parsemer du persil. Donne 6 à 8 portions.

Chaudrée de homard et de pommes de terre

À la fois réconfortante et raffinée, cette chaudrée, accompagnée de pain croustillant et d'une salade de verdures fraîches, compose un repas succulent.

1	homard cuit, refroidi (environ 1 1/4 lb/625 g)	1
1/4 t	beurre	60 ml
1 1/4 t	oignons finement hachés	300 ml
1/2 t	céleri haché	125 ml
4 t	pommes de terre pelées et coupées en cubes	1 L
3/4 c. à thé	sel	4 ml
1/4 c. à thé	poivre	1 ml
2 t	eau	500 ml
2 t	crème à 10 %	500 ml
1 t	lait	250 ml
1/3 t	persil frais haché fin	75 ml

■ Décortiquer le homard. Couper la chair en bouchées et réserver au réfrigérateur.

■ Dans une grande casserole ou une marmite, faire fondre le beurre à feu moyen. Y cuire les oignons et le céleri, en remuant souvent, pendant 5 minutes ou jusqu'à ce qu'ils soient ramollis et translucides.

■ Incorporer les pommes de terre. Assaisonner du sel et du poivre. Ajouter l'eau. Couvrir à demi et amener à ébullition. Réduire le feu et laisser mijoter jusqu'à ce que les pommes de terre soient tendres, pendant 15 à 20 minutes.

■ Incorporer la crème et le lait. Amener à faible ébullition. Ajouter le homard et réchauffer. Rectifier l'assaisonnement si désiré. Verser dans une soupière chaude. Parsemer du persil haché. Donne 4 à 6 portions.

Chaudrée aux tomates

Le poisson est toujours meilleur s'il est cuit juste avant d'être servi. Mais vous pouvez préparer cette chaudrée à l'avance sans y ajouter le poisson et la congeler, ou la réfrigérer jusqu'au lendemain. Vous pouvez remplacer les filets de turbot par un autre poisson à chair ferme comme la morue ou le flétan. Accompagnez de petits pains et d'une salade de chou.

1/4 t	beurre	60 ml
1 t	oignons grossièrement hachés	250 ml
1 t	céleri tranché	250 ml
1/4 t	persil frais haché	60 ml
1	grosse gousse d'ail, hachée	1
1	boîte (28 oz/796 ml) de tomates	1
1/2 t	bouillon de poulet	125 ml
1 c. à thé	basilic séché	5 ml
1/2 c. à thé	graines de coriandre, finement broyées	2 ml
1	feuille de laurier	1
3	carottes	3
1	petit navet (blanc)	1
1 lb	filets de turbot	500 g

■ Dans une grande casserole, faire fondre le beurre à feu moyen. Y cuire les oignons, le céleri, le persil et l'ail, en remuant, pendant 2 minutes. Couvrir et réduire le feu à moyen-doux. Cuire pendant 7 minutes ou jusqu'à ce que les oignons soient ramollis.

■ Incorporer les tomates, le bouillon, le basilic, la coriandre et la feuille de laurier. Laisser mijoter à couvert, en remuant de temps à autre, pendant 30 minutes.

■ Peler les carottes et le navet. Les couper grossièrement en dés et les ajouter dans la casserole. Cuire pendant 5 à 7 minutes ou jusqu'à ce qu'ils soient tendres-croquants. Retirer la feuille de laurier.

■ Entre temps, couper le poisson en grosses bouchées. Ajouter à la chaudrée et cuire pendant 7 minutes ou jusqu'à ce que le poisson soit opaque et se coupe à la fourchette. Donne 6 portions.

SOUPE OU RAGOÛT?

Qu'est-ce qui différencie une soupe d'un ragoût? La consistance du mets, bien sûr, mais aussi la grosseur des ingrédients. Ainsi, un ragoût est habituellement plus épais qu'une soupe et les ingrédients qui le composent sont coupés plus gros que ceux d'une soupe. Ces différences importent peu, cependant, lorsqu'on savoure l'un de ces plats réconfortants préparés selon la tradition.

Ragoût de boeuf à la provençale

Légèrement parfumé à l'orange, ce ragoût de boeuf, apprêté avec des pâtes, regorge de délicieux légumes. Ce plat tout à fait savoureux est également illustré en page couverture.

2 lb	rôti de boeuf dans la palette, paré et coupé en cubes de 1 po (2,5 cm)	1 kg
2 c. à tab	farine	30 ml
2 c. à tab	huile d'olive	30 ml
4	gousses d'ail, hachées fin	4
1 c. à thé	thym séché	5 ml
1	boîte (28 oz/796 ml) de tomates (non égouttées)	1
1 1/2 t	bouillon de boeuf	375 ml
3 c. à tab	vinaigre de vin rouge	45 ml
1/2 t	jus d'orange	125 ml
2	feuilles de laurier	2
	Zeste de 1 orange, coupé en lanières	
1/4 c. à thé	poivre	1 ml
1/4 c. à thé	baies de genièvre (facultatif)	1 ml
4	grosses carottes, tranchées en biais	4
2 t	petits champignons entiers	500 ml
2 t	oignons perlés pelés (ou oignons coupés en quatre)	500 ml
1 1/2 t	rotelle ou autres petites pâtes	375 ml
1/4 t	persil frais haché (facultatif)	60 ml
1/4 t	olives noires dénoyautées	60 ml
	Thym frais	

■ Saupoudrer légèrement les cubes de viande de la farine. Dans une grande poêle à revêtement anti-adhésif, faire chauffer la moitié de l'huile à feu moyen-vif. Y faire cuire la viande, par petites quantités et en ajoutant un peu d'huile si nécessaire, pendant 6 à 8 minutes ou jusqu'à ce que la viande soit dorée sur tous les côtés. Mettre dans une cocotte ou une casserole allant au four.

■ Égoutter le gras de la poêle et y faire sauter l'ail et le thym pendant 1 à 2 minutes ou jusqu'à ce que l'ail soit ramolli. Ajouter les tomates, le bouillon et le vinaigre, en raclant le fond de la poêle pour en détacher les particules et en écrasant les tomates avec une fourchette. Amener à ébullition, puis verser sur la viande.

■ Ajouter le jus d'orange, les feuilles de laurier, le zeste d'orange, le poivre et, si désiré, les baies de genièvre. Couvrir et cuire au four préchauffé à 350°F (180°C) pendant 1 heure. Incorporer les carottes, les champignons et les oignons. Cuire pendant 40 minutes.

■ Incorporer les pâtes alimentaires. Cuire pendant 20 minutes ou jusqu'à ce que la viande soit tendre. Laisser reposer pendant 5 minutes. Retirer les feuilles de laurier. Parsemer du persil haché, si désiré, et des olives. Garnir de tiges de thym frais. Donne 6 portions.

Lasagne de polenta

Pour varier le menu, essayez cette délicieuse «lasagne» dans laquelle les pâtes ont été remplacées par de la polenta. Ce plat inusité et coloré est des plus faciles à réaliser et il est délicieux.

6 t	eau	1,5 L
1/2 c. à thé	sel	2 ml
1 1/2 t	farine de maïs	375 ml
2 c. à thé	huile d'olive	10 ml
1 lb	boeuf haché maigre	500 g
2 t	oignons hachés	500 ml
5	gousses d'ail, hachées fin	5
1 1/2 t	champignons tranchés	375 ml
1	poivron vert ou rouge, coupé en dés	1
1	boîte (19 oz/540 ml) de tomates	1
1	boîte (14 oz/398 ml) de sauce tomate	1
1/2 c. à thé	flocons de piment fort	2 ml
1/4 t	persil frais haché	60 ml
	Sel et poivre	
1	paquet (10 oz/284 g) d'épinards, parés	1
2 t	mozzarella râpée	500 ml

■ Dans une grande casserole, mettre l'eau et le sel. Amener à ébullition à feu vif. Ajouter graduellement la farine de maïs en remuant constamment. Réduire le feu et laisser mijoter, en remuant souvent, pendant 10 à 15 minutes ou jusqu'à ce que la préparation soit homogène et suffisamment épaisse pour tenir dans une cuillère.

■ Mettre dans un plat allant au four de 13 × 9 po (3 L), graissé, lisser la surface et réserver. *(La recette peut être préparée jusqu'à cette étape. Couvrir la polenta et la réfrigérer pendant au plus 2 jours.)*

■ Entre temps, dans une grande casserole à fond épais ou dans un faitout, faire chauffer la moitié de l'huile à feu vif. Y cuire le boeuf, en remuant, pendant 5 minutes ou jusqu'à ce qu'il ait perdu sa teinte rosée. Retirer de la casserole et réserver.

■ Jeter le gras de la casserole. Réduire le feu à moyen et ajouter le reste de l'huile dans la casserole. Y cuire les oignons, l'ail, les champignons et le poivron jusqu'à ce qu'ils soient ramollis, pendant 5 minutes environ.

■ Ajouter les tomates en les broyant légèrement avec une fourchette. Incorporer la sauce tomate, la viande et les flocons de piment fort. Amener à ébullition. Réduire le feu et laisser mijoter, à découvert, jusqu'à ce que la sauce soit épaisse, pendant 55 minutes environ. Incorporer le persil. Saler et poivrer. *(La sauce peut être refroidie, couverte et réfrigérée pendant 2 jours, ou congelée pendant 2 mois. Faire dégeler avant d'utiliser.)*

■ Entre temps, rincer les épinards et les secouer pour en retirer l'excès d'eau. Cuire, sans eau additionnelle, pendant 4 minutes. Égoutter et presser pour en retirer tout excès d'humidité. Hacher et réserver.

■ Démouler la polenta en retournant le plat sur une planche à découper. À l'aide d'un long couteau, couper horizontalement en deux tranches. (Ne pas se préoccuper si la polenta se brise.) Étendre environ 1 tasse (250 ml) de la sauce à la viande dans le même plat. Couvrir d'une tranche de polenta. Ajouter la moitié des épinards, du reste de la sauce et du fromage. Répéter les mêmes opérations avec le reste de la polenta, des épinards, de la sauce et du fromage. *(Le plat peut être préparé jusqu'à cette étape. Laisser refroidir, couvrir et réfrigérer pendant au plus 2 jours, ou congeler pendant au plus 2 mois. Faire dégeler avant de mettre au four.)*

■ Cuire au four préchauffé à 375°F (190°C) pendant 50 minutes ou jusqu'à ce que le dessus soit croustillant. Donne 8 à 10 portions.

Pâté au boeuf

Pour donner plus de saveur au pâté, remplacez 1/2 livre (250 g) du boeuf par la même quantité de rognon de boeuf.

1/4 t	farine	60 ml
1 c. à thé	sel	5 ml
1/4 c. à thé	poivre	1 ml
1 1/2 lb	boeuf désossé (à ragoût ou dans la ronde), coupé en cubes de 1 po (2,5 cm)	750 g
1/4 t	huile végétale	60 ml
2	gros oignons, hachés	2
2	gousses d'ail, hachées fin	2
1/2 t	céleri haché	125 ml
1/2 lb	champignons, coupés en tranches épaisses	250 g
2 t	bouillon de boeuf chaud	500 ml
1	feuille de laurier	1
1 c. à thé	thym séché	5 ml
1/2 c. à thé	basilic séché	2 ml
2 t	pommes de terre pelées, coupées en cubes et cuites	500 ml
1 1/2 t	carottes tranchées, cuites	375 ml
1/4 t	persil frais haché	60 ml
	Pâte pour une abaisse (ou 4 oz/125 g de pâte congelée)	

■ Mélanger la farine, le sel et le poivre, et en enrober les cubes de viande.

■ Dans une grande poêle, faire chauffer l'huile à feu moyen-vif. Y cuire la viande jusqu'à ce qu'elle soit bien dorée sur tous les côtés. Ajouter les oignons, l'ail et le céleri. Cuire pendant 3 à 4 minutes ou jusqu'à ce qu'ils soient ramollis. Ajouter les champignons et cuire pendant 3 minutes en remuant souvent.

■ Incorporer, s'il y a lieu, le reste de la farine. Ajouter le bouillon et cuire, en remuant, jusqu'à ce que le liquide bouille et épaississe. Ajouter la feuille de laurier, le thym et le basilic. Couvrir et laisser mijoter à feu doux pendant 1 1/2 heure ou jusqu'à ce que le boeuf soit tendre. Jeter la feuille de laurier. Incorporer les pommes de terre, les carottes et le persil. Mettre le ragoût dans un plat allant au four d'une capacité de 10 tasses (2,5 L). Rectifier l'assaisonnement.

■ Sur une surface légèrement farinée, abaisser la pâte et en recouvrir le plat en pressant la pâte sur les bords du plat pour sceller. Inciser l'abaisse au centre. Cuire au four préchauffé à 400°F (200°C) pendant 25 minutes ou jusqu'à ce que la pâte soit dorée. Donne 6 portions.

(au centre) Pâté au boeuf ▶

Ragoût de porc et de patates

Utilisez un morceau de soc bien paré pour cuisiner ce succulent ragoût. Terminez le repas avec un dessert rafraîchissant comme une mousse au citron.

1/3 t	cassonade tassée	75 ml
1/3 t	farine	75 ml
3 lb	porc (soc), coupé en cubes de 1 po (2,5 cm)	1,5 kg
1/4 t	moutarde de Dijon	60 ml
3 c. à tab	huile végétale	45 ml
1	oignon, haché	1
2	gousses d'ail, hachées fin	2
1 1/3 t	bouillon de poulet	325 ml
1 t	xérès sec	250 ml
6	patates (douces) (environ 3 lb/1,5 kg)	6
1/2 c. à thé	sel	2 ml
1/2 c. à thé	poivre	2 ml
1/4 t	persil frais haché	60 ml

■ Dans un plat peu profond, mélanger la cassonade et la farine. Rouler les cubes de porc dans la moutarde pour les enrober légèrement. Rouler ensuite les cubes dans le mélange farine-cassonade.

■ Dans une grande poêle à revêtement anti-adhésif, faire chauffer l'huile à feu moyen. Y cuire le porc, par petites quantités, jusqu'à ce qu'il soit doré sur tous les côtés. À l'aide d'une écumoire, mettre les cubes de viande dans un grand faitout. Ajouter l'oignon et l'ail dans la poêle et cuire jusqu'à ce qu'ils soient ramollis, pendant 3 minutes environ. Avec l'écumoire, mettre dans le faitout.

■ Jeter, s'il y a lieu, le gras de la poêle et y verser le bouillon et le xérès. Amener à ébullition et cuire pendant 1 minute en raclant le fond de l'ustensile pour en détacher les particules. Verser dans le faitout.

■ Peler les patates et les couper en cubes de 1 po (2,5 cm). Dans une grande casserole d'eau bouillante, cuire les patates jusqu'à ce qu'elles soient presque tendres, pendant 3 minutes environ. Égoutter et ajouter dans le faitout.

■ Couvrir et cuire au four préchauffé à 350°F (180°C) jusqu'à ce que la viande soit tendre, pendant 45 minutes environ. Saler et poivrer. *(Le ragoût peut être préparé jusqu'à cette étape. Laisser refroidir, couvrir et réfrigérer pendant 24 heures. Réchauffer, à découvert, au four préchauffé à 375°F (190°C) pendant 30 à 40 minutes.)* Parsemer du persil haché avant de servir. Donne 8 portions.

Pâté du chasseur

Cette variante beaucoup plus relevée du hachis Parmentier est délicieuse accompagnée d'une salade d'oignons et de betteraves. Le pâté peut être congelé, mais sans la garniture de pommes de terre. Faites cuire les pommes de terre et garnissez-en le ragoût dégelé juste avant de cuire au four.

2 c. à tab	beurre	30 ml
1 c. à tab	huile végétale	15 ml
1/2 t	oignon haché	125 ml
1/2 t	céleri haché	125 ml
1/4 t	persil frais haché	60 ml
1	gousse d'ail, hachée fin	1
1	grosse carotte, râpée ou hachée finement	1
1 lb	boeuf haché maigre	500 g
1/2 lb	veau haché	250 g
1/2 t	bouillon de boeuf	125 ml
1 c. à tab	raifort	15 ml
1 c. à thé	moutarde sèche	5 ml
1/2 c. à thé	sel	2 ml
1/4 c. à thé	gingembre, thym séché et poivre noir (chacun)	1 ml
	Une pincée de cannelle et de piment de la Jamaïque (facultatif)	
2 lb	pommes de terre (environ 7), pelées et coupées en deux	1 kg
1/2 t	lait	125 ml
	Poivre blanc	
1	oeuf, battu	1

■ Dans une grande poêle, faire chauffer 1 c. à table (15 ml) du beurre avec l'huile à feu moyen. Y cuire l'oignon, le céleri, le persil, l'ail et la carotte, en remuant, pendant 2 minutes. Réduire le feu à moyen-doux et poursuivre la cuisson pendant 7 minutes ou jusqu'à ce que l'oignon soit ramolli. Mettre dans un plat carré de 9 po (2,5 L) allant au four et réserver.

■ Ajouter le boeuf et le veau dans la poêle et augmenter le feu à moyen-vif. Cuire la viande en la défaisant jusqu'à ce qu'elle soit uniformément dorée. Mettre dans le plat avec les légumes.

■ Verser le bouillon dans la poêle et amener à faible ébullition en raclant le fond de l'ustensile pour en détacher les particules. Retirer du feu. Ajouter en remuant le raifort, la moutarde, le sel, le gingembre, le thym, le poivre noir, la cannelle et le piment de la Jamaïque. Ajouter à la viande et bien mélanger.

■ Dans une casserole d'eau bouillante légèrement salée, cuire les pommes de terre jusqu'à ce qu'elles soient tendres. Bien égoutter. Mettre de côté 3 demi-pommes de terre et laisser refroidir. Réduire en purée le reste des pommes de terre avec le lait, le reste du beurre et du poivre blanc.

■ Trancher les pommes de terre réservées et les disposer sur le hachis de viande. Étendre uniformément la purée de pommes de terre sur les pommes de terre tranchées, et strier avec une fourchette. *(Le pâté peut être préparé jusqu'à cette étape, couvert et réfrigéré pendant au plus 48 heures.)* Badigeonner de l'oeuf battu. Cuire au four préchauffé à 425°F (220°C) pendant 15 minutes. Réduire la chaleur du four à 350°F (180°C) et poursuivre la cuisson pendant 30 minutes. Donne 6 portions.

Ragoût de boulettes

Ce ragoût merveilleusement épicé est délicieux servi avec une purée de pommes de terre ou des nouilles au beurre.

2	tranches de pain de mie	2
1/2 t	lait	125 ml
2 c. à tab	beurre	30 ml
3/4 t	oignon haché fin	175 ml
2 lb	porc haché maigre	1 kg
3 c. à tab	persil frais haché fin	45 ml
2 c. à thé	sel	10 ml
1 c. à thé	moutarde sèche	5 ml
1/2 c. à thé	cannelle	2 ml
1/2 c. à thé	poivre	2 ml
1/4 c. à thé	clou de girofle, gingembre et muscade (chacun)	1 ml
4 t	bouillon de boeuf ou de poulet	1 L
1/2 t	farine	125 ml
3/4 t	eau froide	175 ml
	Persil frais haché finement (facultatif)	

■ Émietter ou couper le pain en petits dés. Faire tremper dans le lait pendant 5 minutes.

■ Dans une grande poêle, faire fondre 1 c. à table (15 ml) du beurre. Y cuire l'oignon jusqu'à ce qu'il soit tendre. Mettre dans un grand bol. Ajouter le porc, le pain imbibé de lait, le persil, le sel, la moutarde, la cannelle, le poivre, le clou de girofle, le gingembre et la muscade. Bien mélanger. Façonner en boulettes de 2 po (5 cm).

■ Dans la poêle, faire fondre le reste du beurre à feu moyen. Y faire dorer les boulettes, disposées en une seule couche, sur tous les côtés. Mettre dans une casserole et réserver.

■ Jeter le gras de la poêle et y verser 1 tasse (250 ml) du bouillon. Faire chauffer en raclant le fond de l'ustensile pour en détacher les particules de viande. Verser sur les boulettes. Ajouter le reste du bouillon. Faire cuire à feu doux, à demi couvert, pendant 1 1/4 heure. Rectifier l'assaisonnement.

■ Dans une autre poêle, faire dorer la farine à feu moyen en remuant souvent. Mettre la farine et l'eau dans un pot muni d'un couvercle. Agiter jusqu'à ce que le mélange soit homogène. Incorporer graduellement au ragoût, en remuant constamment, et jusqu'à ce que la sauce soit épaisse. Laisser mijoter pendant 10 minutes. Si désiré, parsemer généreusement de persil haché. Donne 6 à 8 portions.

Chili de porc à la cajun

La cuisine cajun, développée par les descendants des Acadiens ayant fui en Louisiane il y a plus de deux cents ans, repose sur l'utilisation des produits locaux tels que les poivrons, les piments, les oignons, le céleri, le porc et les fruits de mer. Si vous préférez le chili plus traditionnel, remplacez l'origan par du cumin et ajoutez de l'assaisonnement au chili.

2 lb	porc haché	1 kg
2	gros oignons, hachés	2
4	gousses d'ail, hachées fin	4
2	poivrons (un rouge, un vert), hachés	2
3	branches de céleri, hachées	3
1	boîte (28 oz/796 ml) de tomates	1
1	boîte (28 oz/796 ml) de haricots rouges, égouttés	1
1/4 c. à thé	flocons de piment fort	1 ml
1 c. à thé	origan séché	5 ml
1/4 c. à thé	cayenne	1 ml
	Un trait de sauce au piment fort	
	Sel et poivre	

■ Dans une grande casserole à fond épais, cuire le porc à feu moyen, en remuant pour défaire la viande, pendant 5 minutes ou jusqu'à ce que la viande soit dorée. Jeter le gras de la casserole.

■ Ajouter les oignons et cuire jusqu'à ce qu'ils soient tendres. Ajouter l'ail, les poivrons et le céleri, et cuire en remuant de temps à autre pendant 5 minutes ou jusqu'à ce qu'ils soient ramollis.

■ Ajouter les tomates en les défaisant avec le dos d'une cuillère. Incorporer les haricots rouges, les flocons de piment fort, l'origan, le cayenne, la sauce au piment fort, du sel et du poivre. Amener à ébullition. Réduire le feu et laisser mijoter pendant 20 minutes.

■ *(Le chili peut être couvert et réfrigéré pendant au plus 2 jours, ou congelé pendant au plus 3 mois. Faire dégeler avant de réchauffer au four à 350°F (180°C) pendant 40 à 50 minutes, ou sur la cuisinière à feu moyen, à découvert, pendant 20 minutes, en remuant de temps à autre.)* Donne 8 portions.

Salade de pommes de terre au porc

Si vous le désirez, vous pouvez remplacer les cornichons par du concombre haché. Vous pouvez servir cette salade chaude ou froide.

6	pommes de terre rouges (non pelées)	6
2 t	porc cuit dans la longe coupé en julienne	500 ml
1/2 t	oignons verts hachés	125 ml
1/4 t	cornichons marinés à l'aneth hachés	60 ml
2	oeufs durs, hachés	2
1	botte de cresson (facultatif)	1
	VINAIGRETTE	
1/2 t	huile d'olive	125 ml
2 c. à tab	persil frais haché fin	30 ml
2 c. à tab	vinaigre de cidre ou de vin blanc	30 ml
1	gousse d'ail, hachée fin	1

1 c. à thé	moutarde de Dijon	5 ml
1/2 c. à thé	sel	2 ml
1/4 c. à thé	poivre	1 ml

■ Dans une casserole d'eau bouillante salée, cuire les pommes de terre jusqu'à ce qu'elles soient à peine tendres, pendant 15 à 20 minutes. Égoutter et remettre dans la casserole. Assécher à feu doux pendant quelques minutes en secouant la casserole. Couper en morceaux et mettre dans un saladier. Disposer en rangées le porc, les oignons verts, les cornichons et les oeufs sur les pommes de terre.

■ **Vinaigrette:** Fouetter ensemble l'huile, le persil, le vinaigre, l'ail, la moutarde, le sel et le poivre. En arroser la salade chaude. *(La salade peut être couverte et réfrigérée pendant au plus 4 heures et être servie froide.)* Si désiré, garnir de cresson juste avant de servir. Donne 4 portions.

Boeuf braisé à l'italienne

Au lieu de l'habituel rôti de boeuf, préparez ce plat de boeuf économique et savoureux.

3 lb	rôti sans os de côtes croisées ou de palette	1,5 kg
2	gousses d'ail, coupées en lamelles	2
1/4 c. à thé	sel et poivre (chacun)	1 ml
1 c. à tab	farine	15 ml
2 c. à tab	huile végétale	30 ml
2	oignons, hachés grossièrement	2
3	carottes, hachées grossièrement	3
1	branche de céleri, hachée	1
1 c. à thé	thym séché	5 ml
1	feuille de laurier	1
1 t	bouillon de boeuf, jus de tomate ou vin rouge sec	250 ml
1 t	tomates en boîte égouttées et hachées	250 ml
1 c. à tab	persil frais haché	15 ml
1 c. à thé	origan et basilic séchés (chacun)	5 ml

■ À l'aide d'un couteau pointu, faire des petites incisions dans le rôti. Y insérer les morceaux d'ail. Frotter le rôti avec le sel et le poivre. Saupoudrer de la farine.

■ Dans une casserole profonde ou dans un faitout, faire chauffer l'huile à feu vif. Y saisir le rôti pendant 7 minutes ou jusqu'à ce qu'il soit doré sur tous les côtés.

■ Ajouter les oignons, les carottes, le céleri, le thym, la feuille de laurier et le bouillon. Couvrir et laisser mijoter à feu doux pendant 1 1/2 heure en retournant le rôti de temps à autre.

■ Incorporer les tomates, le persil, le basilic et l'origan, et poursuivre la cuisson pendant 45 à 50 minutes ou jusqu'à ce que le boeuf soit tendre. Jeter la feuille de laurier. Trancher et servir avec les légumes et la sauce. Donne 6 portions.

LE BRAISAGE
Le braisage est une méthode de cuisson qui donne aux aliments (viande, poisson et légumes) une saveur et un moelleux incomparables.

• Il faut d'abord saisir les aliments dans un corps gras, à feu vif, de façon à les sceller et à leur conserver tout leur jus. On met ensuite les aliments bien dorés dans une casserole épaisse, ou dans une cocotte, avec une petite quantité de liquide et on les fait cuire à feu très doux, à couvert.

Casserole de jambon et de petits légumes

Ce plat nourrissant plaira aux petits comme aux grands. Il se conserve bien au congélateur pendant six semaines.

2 lb	jambon cuit	1 kg
1	petit chou-fleur	1
4	carottes, tranchées	4
4	branches de céleri, tranchées	4
2 c. à tab	beurre	30 ml
1 c. à tab	huile végétale	15 ml
2	oignons, hachés	2
2	gousses d'ail, hachées fin	2
1/4 t	farine	60 ml
1/2 c. à thé	moutarde sèche	2 ml
1/2 c. à thé	poivre	2 ml
2 t	bouillon de poulet	500 ml
1 t	lait	250 ml
	GARNITURE	
1 t	craquelins de blé émiettés	250 ml
1 t	fromage Edam râpé	250 ml
1/2 t	amandes tranchées	125 ml
1/4 t	parmesan frais râpé	60 ml

■ Couper le jambon en cubes. Couper le chou-fleur en petits bouquets. Dans une grande casserole d'eau bouillante salée, cuire le chou-fleur, les carottes et le céleri pendant 7 minutes ou jusqu'à ce qu'ils soient tendres-croquants. Égoutter et réserver.

■ Dans la même casserole, faire chauffer le beurre et l'huile à feu moyen. Y cuire les oignons et l'ail pendant 4 minutes ou jusqu'à ce que les oignons soient ramollis. Incorporer la farine, la moutarde et le poivre. Cuire en remuant pendant 1 minute.

■ Incorporer graduellement le bouillon de poulet et amener à ébullition. Réduire le feu et laisser mijoter pendant 2 minutes ou jusqu'à ce que la sauce épaississe, en remuant souvent. Incorporer le lait. Ajouter le jambon, le chou-fleur, les carottes et le céleri. Verser avec une cuillère dans un plat allant au four d'une capacité de 10 tasses (2,5 L).

■ **Garniture:** Mélanger les craquelins, le fromage Edam, les amandes et le parmesan. Parsemer la préparation au jambon de la garniture. *(Le plat peut être préparé jusqu'à cette étape, couvert et réfrigéré pendant au plus 2 jours, ou congelé pendant au plus 6 semaines. Faire dégeler avant de réchauffer.)* Cuire, à découvert, au four préchauffé à 375°F (190°C) pendant 30 à 40 minutes ou jusqu'à ce que la préparation soit bien chaude et la garniture bien dorée. Donne 6 à 8 portions.

Pain de viande, sauce au poivre et aux champignons

Ce pain de viande, abondamment garni de légumes et accompagné d'une sauce aux champignons sauvages, convient parfaitement au repas du dimanche.

1	oeuf	1
1 t	pain frais émietté	250 ml
1	petit oignon, haché fin	1
1/2	carotte, hachée fin	1/2
1/2	branche de céleri, hachée fin	1/2
1	gousse d'ail, hachée fin	1
1/3 t	champignons hachés fin	75 ml
3 c. à tab	persil frais haché fin	45 ml
1 c. à thé	estragon séché	5 ml
1/2 c. à thé	sel	2 ml
1/2 c. à thé	thym séché	2 ml
1/4 c. à thé	poivre	1 ml
	Une pincée de muscade et de clou de girofle	
1 3/4 lb	boeuf haché maigre	875 g

SAUCE AUX CHAMPIGNONS

1/2 oz	truffes séchées	15 g
1/2 t	eau chaude	125 ml
1/4 t	beurre	60 ml
1	gousse d'ail, hachée fin	1
1	petit oignon, coupé en dés	1
1	petite carotte, coupée en dés	1
1 t	champignons tranchés	250 ml
1 c. à tab	farine	15 ml
1 t	bouillon de boeuf	250 ml
1/4 t	vin rouge sec	60 ml
1 c. à thé	pâte de tomates	5 ml
2 c. à tab	crème à 10 %	30 ml
1 c. à thé	grains de poivre broyés	5 ml

■ Dans un bol, mélanger l'oeuf, le pain, l'oignon, la carotte, le céleri, l'ail, les champignons, le persil, l'estragon, le sel, le thym, le poivre, la muscade et le clou de girofle. Incorporer la viande. Étendre en pressant dans un moule à pain de 9 × 5 po (2 L). Cuire au four préchauffé à 350°F (180°C) pendant 1 heure ou jusqu'à ce que le thermomètre à viande indique 170°F (75°C). Égoutter et jeter le jus de cuisson.

■ **Sauce aux champignons:** Entre temps, faire tremper les champignons séchés dans l'eau chaude pendant 30 minutes ou jusqu'à ce qu'ils soient ramollis. Égoutter en réservant le liquide de trempage. Hacher finement les champignons.

■ Dans une poêle, faire fondre le beurre à feu moyen. Y cuire les truffes hachées, l'ail, l'oignon, la carotte et les champignons tranchés jusqu'à ce qu'ils soient ramollis, pendant 3 à 5 minutes. Saupoudrer de la farine et remuer. Incorporer le bouillon, le vin et la pâte de tomates. Filtrer le liquide de trempage réservé dans une étamine (coton à fromage) et l'ajouter dans la poêle. Amener à ébullition. Réduire le feu et laisser mijoter pendant 5 minutes environ ou jusqu'à ce que les légumes soient ramollis et que la sauce soit assez épaisse pour napper le dos d'une cuillère. Incorporer la crème et les grains de poivre. Rectifier l'assaisonnement.

■ Mettre le pain de viande dans un plat de service chaud et servir avec la sauce. Donne 6 portions.

Fajitas au boeuf

Les fajitas *sont un plat sauté, assaisonné au chili et servi dans des tortillas.*

2	tortillas de blé de 12 po (30 cm) de diamètre	2
1/2	avocat, pelé et tranché	1/2
1	tomate, hachée	1
1/4 t	coriandre ou persil frais haché	60 ml
2	quartiers de lime	2
1/4 t	crème sure	60 ml
	FAJITAS	
6 oz	tranche de boeuf dans l'intérieur de ronde	175 g
3/4 t	lanières de poivron vert	175 ml
1	petit oignon, coupé en lamelles	1
1 c. à tab	sauce Worcestershire	15 ml
1 c. à tab	huile végétale	15 ml
1 c. à tab	jus de lime ou de citron	15 ml
1	gousse d'ail, coupée en lamelles	1
1/2 c. à thé	cumin	2 ml
1/4 c. à thé	paprika	1 ml
	Un trait de sauce au piment fort	
	Sel	

1 c. à thé (5 ml) de l'huile, le jus de lime, l'ail, le cumin, le paprika et la sauce au piment fort. Faire mariner pendant 20 minutes à la température de la pièce ou pendant au plus 12 heures au réfrigérateur. Égoutter et réserver la marinade.

■ Dans une grande poêle, faire chauffer le reste de l'huile à feu vif. Y faire sauter la viande et les légumes, en remuant, pendant 3 à 4 minutes ou jusqu'à ce que les légumes soient ramollis et la viande tendre. Ajouter la marinade réservée et cuire pendant 1 minute pour glacer la viande. Saler.

■ Entre temps, faire chauffer les tortillas au four. Garnir, de haut en bas, le centre des tortillas de la préparation. Garnir de l'avocat, de la tomate, de la coriandre et de la lime. Napper de crème sure. Replier la base, puis les côtés des tortillas sur la garniture. Donne 2 portions.

■ **Fajitas:** Couper le boeuf, dans le sens contraire des fibres, en lanières de 1 1/2 po (4 cm) de longueur et de 1/8 po (3 mm) d'épaisseur. Dans un bol, mélanger le boeuf, le poivron, l'oignon, la sauce Worcestershire,

Porc braisé aux légumes

Dans ce plat savoureux, le porc est cuit doucement à couvert avec des pommes de terre, de la courge et des haricots verts. Pour un dessert rapide, faites sauter des pommes tranchées.

1 1/2 lb	porc maigre dans l'épaule	750 g
1 c. à tab	huile végétale	15 ml
8	petites pommes de terre rouges, coupées en deux	8
2 c. à thé	sauce fraîche hachée fin (ou 1/2 c. à thé/2 ml de sauge séchée)	10 ml
	Sel et poivre	
1/2 t	bouillon de poulet ou eau	125 ml
1 1/2 lb	courge butternut ou hubbard	750 g
1/2 lb	haricots verts, parés	250 g

■ Émincer le porc dans le sens contraire des fibres. Dans une grande poêle, faire chauffer l'huile à feu moyen-vif. Y faire dorer le porc.

■ Ajouter les pommes de terre et parsemer de la sauge. Saler et poivrer. Ajouter le bouillon et amener à ébullition. Réduire le feu, couvrir et laisser mijoter pendant 20 minutes.

■ Entre temps, peler la courge, enlever les graines et couper en cubes de 2 po (5 cm). Étendre la courge et les haricots sur les pommes de terre et le porc. Amener à ébullition. Réduire le feu, couvrir et laisser mijoter pendant 20 minutes ou jusqu'à ce que la viande et les légumes soient tendres. Donne 4 portions.

Sloppy Joes sur pain pita

Pour le lunch ou un souper léger, essayez ces pains pita farcis d'une préparation au boeuf légèrement épicée à la mexicaine. Parsemez la farce d'une variété de garnitures telles que de la tomate hachée, de la laitue coupée en lanières, du céleri et du poivron rouge ou vert hachés, du cheddar ou du fromage mozzarella (partiellement écrémé) râpé.

6 oz	boeuf haché	175 g
1/4 t	oignon finement haché	60 ml
1	petite gousse d'ail, hachée	1
1/4 t	poivron vert haché	60 ml
1/2 c. à thé	assaisonnement au chili	2 ml
1/4 c. à thé	cumin	1 ml
1/4 c. à thé	sel	1 ml
1/2 t	jus de tomate	125 ml
2	pains pita de blé entier (environ 6 po/15 cm)	2

■ Dans une poêle, faire dorer légèrement le boeuf à feu moyen-vif pendant 5 à 7 minutes, en le défaisant avec une fourchette.

■ Ajouter l'oignon, l'ail et le poivron, et cuire jusqu'à ce qu'ils soient tendres. Égoutter le gras de la poêle. Ajouter l'assaisonnement au chili, le cumin et le sel. Incorporer le jus de tomate et laisser mijoter pendant 3 minutes.

■ Faire chauffer les pains pita. Les couper en deux et les farcir de la préparation. Donne 2 portions.

Casserole d'agneau

Du bon pain croustillant, c'est tout ce dont vous avez besoin pour accompagner cette savoureuse casserole d'agneau. Ce plat se congèle bien.

2 lb	agneau désossé dans l'épaule	1 kg
1 c. à tab	jus de citron	15 ml
	Sel et poivre	
4	carottes	4
2	panais	2
2	petits navets (blancs)	2
3 c. à tab	huile végétale	45 ml
1/4 t	persil frais haché	60 ml
1	grosse gousse d'ail	1
2 1/2 t	bouillon de poulet	625 ml
1	boîte (5 1/2 oz/156 ml) de pâte de tomates	1
1/2 t	eau	125 ml
1 c. à thé	sucre	5 ml
1/2 c. à thé	basilic séché	2 ml
10	petits oignons (grosseur d'une noix de Grenoble)	10

■ Enlever l'excès de gras de l'agneau et le couper en cubes de 1 1/2 po (4 cm). Mettre dans un plat peu profond et arroser du jus de citron. Saler et poivrer. Mélanger pour bien enrober et laisser reposer pendant 30 minutes. Peler les carottes, les panais et les navets, et les couper en morceaux de la grosseur d'une noix de Grenoble. Réserver.

■ Dans une grande casserole à fond épais, faire chauffer 1 c. à table (15 ml) de l'huile à feu moyen-doux. Y cuire le persil et l'ail pendant 5 minutes ou jusqu'à ce que l'ail soit ramolli. Mettre dans un plat et réserver.

■ Verser le reste de l'huile dans la casserole et augmenter le feu à moyen-vif. Y faire dorer la viande, par petites quantités, et mettre dans le plat avec le persil.

■ Ajouter le bouillon, la pâte de tomates, l'eau, le sucre et le basilic dans la casserole. Amener à faible ébullition en raclant le fond de l'ustensile pour en détacher les particules. Remettre la viande et le persil dans la casserole. Laisser mijoter, à couvert, pendant 40 à 45 minutes ou jusqu'à ce que l'agneau soit tendre.

■ Ajouter les oignons, les carottes, les panais et les navets. Laisser mijoter pendant 15 minutes ou jusqu'à ce que les légumes soient tendres. Saler et poivrer. Donne 6 portions.

Ragoût de veau au paprika

Si vous désirez congeler ce ragoût, préparez-le jusqu'à l'étape où vous devez ajouter les champignons et les poivrons. Cette dernière étape n'est pas longue et les poivrons fraîchement cuits auront une texture bien croquante.

4 lb	veau à ragoût maigre, paré et coupé en cubes de 1 po (2,5 cm)	2 kg
1/4 t	farine	60 ml
1/3 t	huile végétale	75 ml
4	gros oignons, hachés	4
2 c. à tab	paprika hongrois doux	30 ml
1 1/2 c. à thé	sel	7 ml
1 c. à thé	poivre	5 ml
1/2 c. à thé	graines de carvi	2 ml
2 t	vin blanc sec	500 ml
2 t	bouillon de poulet	500 ml
1/4 t	pâte de tomates	60 ml
1 lb	carottes naines	500 g
3 c. à tab	beurre	45 ml
4 t	petits champignons	1 L
2	poivrons verts ou rouges, coupés en dés	2

■ Saupoudrer légèrement le veau de la farine. Dans une grande casserole à fond épais, faire chauffer 2 c. à table (30 ml) de l'huile à feu vif. Y faire dorer le veau, par petites quantités, en ajoutant jusqu'à 2 c. à table (30 ml) d'huile si nécessaire. Retirer le veau de la casserole et réserver.

■ Ajouter le reste de l'huile dans la casserole et y cuire les oignons à feu moyen jusqu'à ce qu'ils soient ramollis, pendant 5 minutes environ. Remettre le veau dans la casserole. Incorporer le paprika, le sel, le poivre et les graines de carvi. Cuire, en remuant, pendant 3 minutes.

■ Ajouter le vin, le bouillon et la pâte de tomates. Amener à ébullition. Réduire le feu et laisser mijoter, à couvert, pendant 1 heure. Ajouter les carottes et poursuivre la cuisson pendant 15 minutes.

■ Dans une grande poêle, faire fondre le beurre à feu moyen. Y cuire les champignons et les poivrons jusqu'à ce qu'ils soient légèrement tendres, pendant 4 minutes environ. Ajouter au veau et cuire pendant 15 minutes ou jusqu'à ce que le veau se coupe facilement à la fourchette et que les carottes soient tendres. Retirer du feu. Avec une écumoire, retirer le veau et les légumes de la casserole. Réserver.

■ Remettre la casserole sur le feu et faire bouillir la sauce à feu vif, en remuant, pendant 5 minutes ou jusqu'à ce qu'elle soit assez épaisse pour napper une cuillère. Remettre le veau et les légumes dans la casserole et réchauffer. Rectifier l'assaisonnement. Donne 12 portions.

Foies de poulet à la diable

Ce plat peu coûteux apprêté avec une sauce piquante est idéal en hiver. Accompagnez-le de riz ou de pâtes et d'une salade.

1 lb	foies de poulet	500 g
1/4 t	farine	60 ml
2 c. à thé	assaisonnement au chili	10 ml
	Sel et poivre	
1 c. à tab	beurre	15 ml
2 c. à tab	huile végétale	30 ml
1	petit poivron vert, coupé en rondelles	1
1 t	oignons émincés	250 ml
1 c. à thé	piment jalapeño épépiné et haché	5 ml
1	gousse d'ail, hachée fin	1
1	boîte (19 oz/540 ml) de tomates	1
1/2 t	bouillon de poulet	125 ml
	Un trait de sauce au piment fort	

■ Parer et couper en deux les foies de poulet. Mélanger la farine, l'assaisonnement au chili, du sel et du poivre. Mettre dans un sac la moitié des foies de poulet et de la farine assaisonnée. Agiter le sac pour bien enrober. Faire de même avec le reste des foies et de la farine. Réserver.

■ Dans une poêle, faire chauffer le beurre et 1 c. à table (15 ml) de l'huile à feu moyen. Y cuire le poivron vert, les oignons, le piment et l'ail jusqu'à ce que les oignons soient ramollis. Mettre dans un plat profond allant au four.

■ Ajouter le reste de l'huile dans la poêle et augmenter le feu à moyen-vif. Y cuire les foies, par petites quantités, jusqu'à ce qu'ils soient fermes et encore rosés à l'intérieur, pendant 4 à 5 minutes environ. Mettre dans le plat avec les légumes.

■ Ajouter les tomates dans la poêle en les défaisant avec une fourchette. Ajouter le bouillon et cuire pendant 5 minutes en raclant le fond de l'ustensile pour en détacher les particules. Réduire le feu à moyen et laisser mijoter jusqu'à ce que la sauce ait épaissi et soit réduite du tiers environ. Assaisonner de la sauce au piment fort, de sel et de poivre.

■ Verser la sauce sur les foies et remuer délicatement. *(Le plat peut être préparé jusqu'à cette étape. Laisser refroidir, couvrir et congeler. Faire dégeler au réfrigérateur pendant un jour.)*

■ Cuire, à couvert, au four préchauffé à 325°F (160°C) pendant 45 à 50 minutes. Donne 4 portions.

Ragoût de poulet et biscuits

Ce ragoût peut être cuisiné presque entièrement à l'avance et être conservé au réfrigérateur pendant un jour. Il ne restera plus le lendemain qu'à préparer les biscuits et à les faire cuire avec le ragoût. Si vous utilisez une poule, augmentez le temps de cuisson de la volaille à 4 heures.

BOUILLON

1	poulet (5 lb/2,5 kg)	1
5 t	eau froide	1,25 L
1	oignon, poireau, carotte, branche de céleri (avec les feuilles), hachés grossièrement (chacun)	1
1 c. à tab	sel	15 ml
5	grains de poivre	5
5	tiges de persil	5
1 c. à thé	thym séché	5 ml
2	feuilles de laurier	2

RAGOÛT

12	petits oignons	12
6	carottes	6
1/4 lb	petits champignons	125 g
1 t	petits pois congelés	250 ml
1/3 t	beurre	75 ml
1/2 t	farine tout usage	125 ml
1 t	crème à 10% ou lait	250 ml
1/4 t	persil frais haché	60 ml
1 c. à tab	sauce Worcestershire	15 ml
1/4 c. à thé	muscade et poivre (chacun)	1 ml
	Un trait de sauce au piment fort	

BISCUITS

2 t	farine tout usage	500 ml
4 c. à thé	levure chimique	20 ml
1 c. à thé	sel	5 ml
1/2 t	graisse végétale (shortening)	125 ml
1 t	lait	250 ml

■ **Bouillon:** Dans une grande marmite, mettre le poulet et l'eau. Amener à ébullition. Réduire le feu et laisser mijoter pendant 15 minutes. Écumer. Ajouter les légumes et les assaisonnements. Laisser mijoter, à demi couvert, pendant 2 heures ou jusqu'à ce que le poulet soit bien cuit.

■ Retirer le poulet du bouillon et le laisser refroidir un peu. Désosser et jeter la peau et les os. Couper la chair en cubes et réserver. Filtrer le bouillon dans une grande casserole et jeter les légumes et les assaisonnements.

■ **Ragoût:** Inciser profondément en forme de × les oignons à la racine. Couper les carottes en morceaux de 1 1/2 po (4 cm). Ajouter les oignons et les carottes au bouillon. Couvrir et laisser mijoter jusqu'à ce qu'ils soient tendres. Retirer les légumes du bouillon et les mettre avec le poulet. Ajouter les champignons au bouillon et laisser mijoter pendant 4 minutes. Ajouter les pois et laisser mijoter pendant 1 minute. Retirer du bouillon et mettre avec le poulet.

■ Dans une autre casserole, faire fondre le beurre. Ajouter la farine en remuant et cuire à feu moyen pendant 3 minutes sans faire dorer. Incorporer en fouettant 3 1/4 tasses (800 ml) du bouillon chaud et faire chauffer, en remuant, jusqu'à ce qu'il épaississe. Ajouter la crème, le persil, la sauce Worcestershire, la muscade, le poivre et la sauce au piment fort. Rectifier l'assaisonnement et ajouter un peu de bouillon pour allonger la sauce si désiré. Verser dans une grande casserole allant au four. Ajouter le poulet et les légumes réservés. Remuer.

■ **Biscuits:** Dans un bol, mettre la farine, la levure chimique et le sel. Incorporer la graisse végétale de façon à obtenir un mélange friable. Incorporer le lait. Façonner la pâte en boule. Sur une surface farinée, abaisser la pâte jusqu'à ce qu'elle ait 3/4 po (2 cm) d'épaisseur. À l'aide d'un emporte-pièce, détailler des cercles et les disposer sur le ragoût. Cuire, à découvert, au four préchauffé à 425°F (220°C) pendant 20 à 25 minutes ou jusqu'à ce que les biscuits soient dorés. Donne 6 à 8 portions.

Pâté au poulet

Utilisez des restes de jambon pour garnir ce pâté au poulet et gardez celui-ci en réserve au congélateur. Choisissez des petits oignons de 1 1/2 po (4 cm) environ de diamètre pour apprêter ce plat. Accompagnez-le d'une salade d'épinards, de germes de haricots mungo (fèves germées) et de champignons.

2	grosses poitrines de poulet (environ 1 1/2 lb/750 g)	2
1 1/2 t	bouillon de poulet	375 ml
3	tiges de persil	3
2	tiges de feuilles de céleri	2
1	feuille de laurier	1
2	carottes	2
8	petits oignons	8
1 t	jambon coupé en cubes	250 ml
1 t	petits pois congelés	250 ml
2 c. à tab	farine	30 ml
2 c. à tab	beurre, ramolli	30 ml
	Sel et poivre	
	Pâte pour une abaisse de 8 po (20 cm)	
	Lait	

■ Dans une poêle profonde, mettre le poulet, le bouillon, le persil, le céleri et la feuille de laurier. Amener à faible ébullition, couvrir et laisser mijoter à feu moyen-doux pendant 20 minutes.

■ Couper les carottes en morceaux de 1 po (2,5 cm) et les ajouter au poulet avec les oignons. Cuire pendant 10 minutes ou jusqu'à ce que les légumes soient cuits mais encore fermes.

■ Avec une écumoire, retirer le poulet et laisser refroidir. Mettre les carottes et les oignons dans une cocotte d'une capacité de 6 tasses (1,5 L). Jeter le persil, le céleri et la feuille de laurier. Désosser le poulet et couper la chair en cubes de 1 1/2 po (4 cm). Mettre dans la cocotte avec le jambon et les pois.

■ Dans un petit plat, mélanger la farine et le beurre jusqu'à consistance homogène. Y incorporer quelques cuillerées à thé du bouillon chaud et remuer pour obtenir une pâte liquide. Remettre dans la poêle et remuer. Amener à faible ébullition et cuire, en remuant constamment, jusqu'à ce que la sauce épaississe et soit bouillonnante, pendant 3 à 4 minutes. Laisser mijoter pendant 5 minutes (ne pas faire bouillir). Saler et poivrer. Verser dans la cocotte et mettre au réfrigérateur pendant la préparation de la pâte.

■ Sur une surface légèrement farinée, abaisser la pâte et en recouvrir la préparation refroidie dans la cocotte. Replier la pâte sous le rebord de l'ustensile et pincer. *(Le pâté peut être préparé jusqu'à cette étape, couvert et congelé. Mettre au réfrigérateur pendant un jour avant de le faire cuire.)*

■ Badigeonner légèrement la pâte de lait. Découper un cercle de 1 po (2,5 cm) au centre de l'abaisse. Cuire au four préchauffé à 425°F (220°C) pendant 10 minutes. Réduire la chaleur à 350°F (180°C) et poursuivre la cuisson pendant 50 à 60 minutes ou jusqu'à ce que la préparation soit bouillonnante. Si la pâte a tendance à dorer trop rapidement, la couvrir légèrement de papier d'aluminium. Donne 4 portions.

Casserole de dinde au riz sauvage

Utilisez des restes de dinde pour préparer cette délicieuse casserole.

1 t	riz sauvage	250 ml
3 t	eau bouillante	750 ml
2 c. à tab	beurre	30 ml
1	petit oignon, haché	1
1 1/2 t	champignons tranchés	375 ml
3 t	dinde cuite coupée en dés	750 ml
1/2 t	bouillon de dinde ou de poulet	125 ml
1 t	crème à 35 %	250 ml
1	boîte (10 oz/284 ml) de châtaignes d'eau, égouttées et tranchées	1
1/4 t	piment doux (pimiento) coupé en dés	60 ml
1 c. à thé	sel	5 ml
	Poivre	
1 t	cheddar râpé	250 ml

■ Dans une passoire, rincer le riz à l'eau froide. Bien égoutter. Mettre dans une grande casserole et verser l'eau bouillante dessus. Amener à ébullition. Réduire le feu et laisser mijoter pendant 45 minutes ou jusqu'à ce que le riz soit tendre mais non en bouillie. Bien égoutter. Mettre dans un plat allant au four de 13 × 9 po (3,5 L), légèrement graissé.

■ Dans une grande poêle, faire fondre le beurre à feu moyen-vif. Y faire sauter l'oignon et les champignons jusqu'à ce qu'ils soient tendres, pendant 5 à 8 minutes. Ajouter au riz et bien mélanger.

■ Ajouter la dinde, le bouillon, la crème, les châtaignes d'eau, le piment, le sel et du poivre. Bien mélanger. Couvrir et cuire au four préchauffé à 350°F (180°C) pendant 40 minutes. Parsemer le plat du fromage râpé et cuire, à découvert, pendant 15 à 20 minutes ou jusqu'à ce que le fromage soit bouillonnant. Donne 6 portions.

Sandwich chaud au poulet et à l'avocat

Les petits pains, fins et allongés, sont idéals pour dresser ce sandwich aux ingrédients colorés. N'oubliez pas de porter des gants de caoutchouc pour hacher le piment fort.

3 c. à tab	jus de lime	45 ml
1 c. à tab	huile végétale	15 ml
1/2 c. à thé	poivre	2 ml
1/4 c. à thé	origan séché	1 ml
4	poitrines de poulet désossées, sans peau	4
1	avocat	1
2	tomates	2
2 c. à thé	piment chili fort haché fin	10 ml
1 c. à tab	oignon rouge haché fin	15 ml
4	petits pains tressés aux graines de pavot ou petits pains kaiser	4
	Beurre (facultatif)	
2 t	fromage cheddar doux ou Monterey Jack râpé	500 ml

■ Dans un bol, mélanger 2 c. à table (30 ml) du jus de lime avec l'huile, le poivre et l'origan. Ajouter le poulet et le retourner pour bien l'enrober. Couvrir et laisser mariner à la température de la pièce pendant 30 minutes.

■ Retirer le poulet de la marinade et réserver celle-ci. Faire griller le poulet pendant 8 à 10 minutes ou jusqu'à ce qu'il ait perdu sa teinte rosée à l'intérieur, en le retournant une fois et en le badigeonnant de marinade. Mettre dans un plat, couvrir et réserver au chaud.

■ Entre temps, peler l'avocat et le couper en deux dans le sens de la longueur. Retirer le noyau. Dans un petit bol, réduire en purée la moitié de l'avocat. Couper en dés l'une des deux tomates et incorporer à la purée d'avocat avec le reste de jus de lime, le piment chili et l'oignon. Couper en tranches l'autre demi-avocat et la deuxième tomate.

■ Ouvrir les petits pains et les faire griller jusqu'à ce qu'ils soient légèrement dorés. Tartiner de beurre si désiré.

■ Couper le poulet en biais en fines tranches. Étendre la purée d'avocat sur la partie inférieure des pains. Couvrir de tranches de poulet. Garnir des tranches d'avocat et de tomate en pressant légèrement les garnitures. Parsemer du fromage râpé. Faire griller pendant 2 minutes ou jusqu'à ce que le fromage soit fondu. Couvrir de la partie supérieure des pains. Donne 4 portions.

Riz pilaf aux crevettes

Vous pouvez remplacer les crevettes par du jambon dans cette recette. Une combinaison des deux est également excellente. Accompagnez d'une salade de légumes et servez un sorbet pour dessert.

3 c. à tab	beurre doux	45 ml
2	gousses d'ail, hachées fin	2
1 lb	crevettes décortiquées et parées	500 g
1 t	riz à grain long	250 ml
2 t	bouillon de poulet	500 ml
3 c. à tab	aneth frais haché	45 ml
	Sel et poivre	

■ Dans une grande casserole, faire fondre le beurre à feu moyen. Y cuire l'ail pendant 1 minute, jusqu'à ce qu'il soit tendre et odorant, mais non doré.
■ Ajouter les crevettes et bien mélanger. Incorporer le riz. Verser le bouillon et amener à ébullition. Couvrir, réduire le feu et laisser mijoter pendant 20 à 25 minutes ou jusqu'à ce que le liquide ait été absorbé. Incorporer l'aneth. Saler et poivrer. Donne 4 portions.

Poisson et courgettes panés au sésame

Le repas sera prêt en quelques minutes lorsque vous préparerez ce plat de poisson et de courgettes sautés. Utilisez des filets de poisson congelés en bloc plutôt qu'individuellement. Servez avec une salade de concombres et terminez le repas avec des biscuits à la farine d'avoine et des quartiers de melon.

1 lb	filets de poisson congelés	500 g
1	oeuf	1
2/3 t	graines de sésame	150 ml
1/2 t	miettes de pain frais	125 ml
1 c. à tab	aneth frais haché fin (ou 1 c. à thé/5 ml d'aneth séché)	15 ml
1/2 c. à thé	sel	2 ml
4	petites courgettes	4
1/4 t	huile végétale	60 ml
2	tomates, coupées en quartiers	2

■ Faire dégeler le poisson à la température de la pièce pendant 15 à 30 minutes ou jusqu'à ce qu'il se coupe facilement avec un couteau pointu. (Ou faire dégeler au micro-ondes à décongélation ou à puissance moyenne-faible (30 %) pendant 4 minutes.)
■ Dans un plat peu profond, battre l'oeuf. Dans un sac de plastique résistant, mélanger les graines de sésame, le pain, l'aneth et le sel. Couper les courgettes en deux dans le sens de la longueur.
■ Avec un couteau bien affilé, couper en travers le bloc de poisson partiellement dégelé en 4 morceaux. Tremper le poisson et les courgettes dans l'oeuf battu. Mettre dans le sac et secouer pour enrober de la préparation aux graines de sésame.
■ Dans une grande poêle, faire chauffer l'huile à feu moyen-vif. Y cuire le poisson pendant 7 minutes. Retourner le poisson et ajouter les courgettes. Cuire pendant 7 minutes ou jusqu'à ce que les courgettes soient tendres et que le poisson se coupe à la fourchette.
■ Mettre le poisson et les courgettes dans un plat chaud. Ajouter les tomates dans la poêle et cuire pendant 1 minute ou jusqu'à ce qu'elles soient bien chaudes. Disposer joliment dans le plat. Donne 4 portions.

Riz pilaf aux crevettes ▶

Sauté de crevettes et de moules

Pour une jolie présentation, garnissez le plat d'oignon vert haché et de quartiers de citron.

2 lb	moules	1 kg
1 lb	crevettes (petites ou moyennes)	500 g
2 c. à tab	huile végétale	30 ml
2	gousses d'ail, hachées fin	2
1 c. à tab	racine de gingembre hachée fin	15 ml
1/4 c. à thé	flocons de piment fort	1 ml
2	carottes, tranchées en biais	2
1	oignon, haché	1
1	branche de céleri, tranchée en biais	1
4	gros champignons, tranchés	4
1/2 t	bouillon de poulet ou vin blanc	125 ml
1 c. à tab	fécule de maïs	15 ml
1 c. à tab	sauce soya	15 ml
1 c. à tab	sauce aux huîtres	15 ml
2 t	petits bouquets de brocoli	500 ml

■ Brosser les moules sous l'eau froide. Enlever, s'il y a lieu, les barbes. Jeter celles qui ne se referment pas. Décortiquer les crevettes, en leur laissant la queue, et enlever la veine dorsale. Réserver.

■ Dans un wok ou une grande poêle, faire chauffer l'huile à feu moyen-vif. Y faire sauter l'ail, le gingembre et les flocons de piment fort pendant 30 secondes. Ajouter les carottes, l'oignon et le céleri, et faire sauter pendant 2 minutes. Ajouter les champignons et faire sauter pendant 1 minute.

■ Ajouter 1/4 tasse (60 ml) du bouillon et les moules. Cuire, en remuant, pendant 4 à 5 minutes ou jusqu'à ce que les moules s'ouvrent. Jeter celles qui ne s'ouvrent pas.

■ Mélanger le reste du bouillon avec la fécule, la sauce soya et la sauce aux huîtres. Ajouter dans le wok avec le brocoli et les crevettes. Cuire pendant 2 à 3 minutes ou jusqu'à ce que les crevettes soient roses, le brocoli tendre-croquant et la sauce épaisse. Donne 6 portions.

RÉCEPTION IMPROMPTUE

Si des visiteurs inattendus restent à dîner, servez-leur le Sauté de crevettes et de moules avec du riz cuit à la vapeur et une salade verte bien croquante. Présentez ensuite un joli plateau de fruits et de fromages.

Pommes de terre farcies au saumon

Vous pouvez faire cuire et farcir ces pommes de terre une journée à l'avance.

4	pommes de terre	4
1	boîte (7 1/2 oz/213 g) de saumon, égoutté	1
1/2 t	yogourt nature ou crème sure	125 ml
1/4 t	cheddar en dés	60 ml
1 c. à tab	oignon vert haché	15 ml
1 c. à tab	persil ou aneth frais haché	15 ml
1 c. à tab	jus de citron	15 ml
1/2 c. à thé	sauce au piment fort	2 ml
	Sel, poivre et paprika	
1/3 t	cheddar râpé	75 ml

■ Brosser les pommes de terre et les piquer avec une fourchette. Cuire au four préchauffé à 400°F (200°C) pendant 45 à 55 minutes ou jusqu'à ce qu'elles soient tendres.

■ Dans un bol, mélanger le saumon, le yogourt, le cheddar en dés, l'oignon, le persil, le jus de citron et la sauce au piment fort. Assaisonner de sel, de poivre et de paprika.

■ Couper une tranche de 1/2 po (1 cm) d'épaisseur sur le dessus de chaque pomme de terre. Évider les pommes de terre en laissant assez de pulpe pour que les coquilles aient 1/4 po (5 mm) d'épaisseur. Incorporer la pulpe des pommes de terre à la préparation au saumon en la défaisant avec une fourchette.

■ Garnir les coquilles de la farce. Parsemer du cheddar râpé. Cuire au four préchauffé à 400°F (200°C) pendant 15 à 20 minutes ou jusqu'à ce que le dessus soit croustillant. Donne 4 portions.

Petit ragoût d'huîtres

Apprêté avec des huîtres déjà débarrassées de leur coquille, ce plat nourrissant, qui ressemble beaucoup à une soupe, se prépare rapidement.

5 t	lait	1,25 L
1/4 t	biscuits soda émiettés	60 ml
1/4 t	beurre	60 ml
1 1/2 c. à thé	sel	7 ml
	Une pincée de poivre et de muscade	
2 t	huîtres débarrassées de leur coquille et leur jus	500 ml
2 c. à tab	ciboulette ou persil frais finement haché	30 ml

■ Dans une casserole, faire chauffer le lait à feu doux jusqu'à ce que de petites bulles apparaissent sur les bords. Ajouter les craquelins émiettés, le beurre, le sel, le poivre et la muscade.

■ Égoutter les huîtres et ajouter leur jus au lait. Faire chauffer jusqu'à ce que le beurre ait fondu. Ajouter les huîtres. Laisser mijoter à découvert pendant 3 minutes environ ou jusqu'à ce que les huîtres gonflent et commencent à onduler sur les bords (prendre soin de ne pas trop faire cuire).

■ Servir aussitôt et parsemer de ciboulette. Donne 6 portions.

Pâtes cioppino

Le cioppino *est un ragoût de poisson et de fruits de mer. Dans cette recette, le ragoût se transforme en sauce et vient enrober des pâtes. Si vous le désirez, vous pouvez remplacer les crevettes et le crabe par une quantité égale de poisson. Faites-en le plat principal de votre prochain buffet.*

3 c. à tab	huile d'olive	45 ml
1	oignon, haché finement	1
3	gousses d'ail, hachées finement	3
1/4 c. à thé	flocons de piment fort	1 ml
1/4 c. à thé	origan séché	1 ml
1/4 c. à thé	poivre	1 ml
2	boîtes (28 oz/796 ml chacune) de tomates prunes (non égouttées)	2
1 t	vin blanc sec	250 ml
1 1/2 lb	tranches ou filets de flétan, coupés en gros morceaux	750 g
1 lb	crevettes, décortiquées et parées	500 g
7 oz	crabe des neiges congelé, dégelé et paré	200 g
3 c. à tab	persil frais haché	45 ml
1 c. à thé	sel	5 ml
2 lb	rigatoni ou penne	1 kg
1/2 t	pain frais émietté (facultatif)	125 ml

■ Dans une grande poêle ou un grand faitout, faire chauffer l'huile à feu moyen. Y cuire l'oignon et l'ail pendant 5 minutes ou jusqu'à ce qu'ils soient tendres et odorants mais non dorés.

■ Assaisonner des flocons de piment fort, de l'origan et du poivre. Ajouter les tomates. Cuire, en remuant pour défaire les tomates, pendant 10 minutes ou jusqu'à ce que la plus grande partie du liquide se soit évaporée. Ajouter le vin et laisser réduire pendant 10 à 20 minutes, en remuant de temps à autre, jusqu'à ce que la sauce soit épaisse.

■ Ajouter le flétan, les crevettes, le crabe, le persil et le sel. Cuire, à couvert, pendant 5 à 10 minutes ou jusqu'à ce que le poisson et les fruits de mer soient cuits, sans plus. *(Le plat peut être préparé jusqu'à cette étape, couvert et réfrigéré pendant au plus 24 heures. Réchauffer avant de poursuivre la recette.)*

■ Entre temps, dans une grande casserole d'eau bouillante salée, cuire les pâtes jusqu'à ce qu'elles soient tendres mais encore fermes. Bien égoutter et mélanger avec la sauce. (Si la sauce est trop liquide, y ajouter le pain et mélanger jusqu'à ce qu'il ait absorbé l'excès de liquide.) Saler et poivrer si désiré. Donne 8 portions.

Spaghetti au porc et aux poivrons

Ce plat est délicieux avec des pâtes alimentaires de blé, mais vous pouvez tout aussi bien le préparer avec un autre type de pâtes. Vous pouvez également l'apprêter avec du poulet au lieu du porc. Le plat cuit se congèle bien.

1 lb	porc dans la longe	500 g
1 c. à tab	huile végétale	15 ml
1	poireau (parties blanche et vert pâle seulement)	1
3	poivrons (un rouge, un vert, un jaune)	3
2	grosses gousses d'ail, hachées fin	2
1 1/2 t	bouillon de poulet	375 ml
1/4 t	sauce aux huîtres	60 ml
1 c. à tab	cari	15 ml
1 c. à tab	fécule de maïs	15 ml
1 c. à tab	eau froide	15 ml
1/2 t	persil frais haché	125 ml
	Un trait de sauce au piment fort	
3/4 lb	spaghetti de blé	375 g

■ Couper le porc en lanières de 2 × 1/4 po (5 cm × 5 mm). Dans une grande poêle, faire chauffer l'huile à feu vif. Y faire sauter le porc pendant 3 à 4 minutes. Retirer de la poêle et réserver.

■ Couper le poireau et les poivrons en lanières de 1 1/2 × 1/4 po (4 cm × 5 mm). Dans la même poêle, mettre le poireau, les poivrons, l'ail et le bouillon. Couvrir et cuire pendant 2 minutes. Incorporer la sauce aux huîtres et le cari.

■ Mélanger la fécule et l'eau, et incorporer avec le porc aux légumes dans la poêle. Amener à ébullition et cuire, en remuant, pendant 1 à 2 minutes ou jusqu'à ce que la sauce épaississe. Incorporer le persil et la sauce au piment fort.

■ Entre temps, dans une grande casserole d'eau bouillante salée, cuire les pâtes pendant 8 à 10 minutes. Bien égoutter. Dans un grand bol, mélanger les pâtes avec la sauce. Donne 6 portions.

Lasagne classique

Les pâtes fraîches, plus fines, sont idéales pour préparer cette lasagne aux multiples couches. Mais le plat sera également savoureux si vous utilisez des pâtes sèches.

3/4 lb	lasagnes	375 g
1 t	parmesan frais râpé	250 ml
2 c. à tab	beurre	30 ml

SAUCE À LA VIANDE

2 c. à tab	huile d'olive	30 ml
1	oignon, haché	1
2	gousses d'ail, hachées fin	2
1	carotte, hachée	1
1	branche de céleri, hachée	1
1/2 lb	boeuf haché maigre	250 g
1/2 lb	porc haché maigre	250 g
1/2 t	vin blanc sec ou bouillon de poulet	125 ml
1	boîte (28 oz/796 ml) de tomates prunes, réduites en purée	1
1 c. à thé	sel	5 ml
1/2 c. à thé	poivre	2 ml
1/2 t	crème à 35 %	125 ml

SAUCE BÉCHAMEL

1/4 t	beurre	60 ml
1/4 t	farine	60 ml
3 t	lait	750 ml
1 c. à thé	sel	5 ml
1/2 c. à thé	poivre	2 ml
1/4 c. à thé	muscade	1 ml

■ **Sauce à la viande:** Dans un faitout, faire chauffer l'huile à feu moyen. Y cuire l'oignon, l'ail, la carotte et le céleri pendant 8 minutes ou jusqu'à ce que le mélange soit odorant.

■ Ajouter le boeuf et le porc en les défaisant avec une cuillère. Ajouter le vin et cuire pendant 5 minutes ou jusqu'à ce que la plus grande partie du liquide se soit évaporée. Ajouter les tomates, le sel et le poivre, et amener à ébullition. Réduire le feu à moyen-doux et laisser mijoter pendant 20 minutes. Incorporer la crème et cuire pendant 20 à 25 minutes ou jusqu'à ce que la sauce soit épaisse. Laisser refroidir pendant 30 minutes.

■ **Sauce béchamel:** Dans une casserole, faire fondre le beurre à feu moyen. Incorporer la farine en fouettant et cuire, en remuant, pendant 2 minutes sans faire dorer. Incorporer le lait en fouettant et amener à ébullition. Réduire le feu à moyen-doux et cuire, en remuant, pendant 10 minutes ou jusqu'à ce que la sauce soit épaisse. Incorporer le sel, le poivre et la muscade. Laisser refroidir pendant 30 minutes.

■ Dans une grande casserole d'eau bouillante salée, cuire les pâtes jusqu'à ce qu'elles soient presque tendres, pendant 2 minutes pour les pâtes fraîches, pendant 6 à 8 minutes pour les pâtes sèches. Égoutter et passer sous l'eau froide. Égoutter de nouveau et éponger. Disposer un cinquième des pâtes, en une seule couche, dans un plat de 13 × 9 po (3 L) graissé. Couvrir avec un tiers de la sauce à la viande, un cinquième des pâtes, un tiers de la sauce béchamel et un tiers du parmesan. Répéter ces opérations dans le même ordre: pâtes, sauce à la viande, pâtes, béchamel et parmesan. Terminer avec une couche de pâtes, une de sauce à la viande, une de béchamel et une de parmesan. Parsemer de noix de beurre. Cuire au four préchauffé à 375°F (190°C) pendant 40 à 45 minutes ou jusqu'à ce que la lasagne soit bouillonnante. Laisser reposer pendant 10 minutes avant de servir. Donne 8 portions.

Manicotti à la saucisse et sauce au poivron rouge

Utilisez des saucisses douces ou épicées pour préparer cette recette légèrement piquante de manicotti.

3 c. à tab	huile d'olive ou végétale	45 ml
1	oignon, haché fin	1
2	gousses d'ail, hachées fin	2
1/4 c. à thé	flocons de piment fort	1 ml
1 1/2 lb	saucisses italiennes, boyau enlevé	750 g
1	paquet (10 oz/284 g) d'épinards, cuits, essorés et hachés	1
1 c. à thé	sel	5 ml
1/2 c. à thé	poivre	2 ml
1	oeuf, légèrement battu	1
1/2 t	crème à 35 %	125 ml
1 t	parmesan frais râpé	250 ml
3 c. à tab	basilic frais haché (facultatif)	45 ml
2 c. à tab	persil frais haché	30 ml
1 lb	manicotti cuits	500 g
	Sauce au poivron rouge (voir recette)	
1 t	fromage suisse ou mozzarella râpé	250 ml

■ Dans une poêle, faire chauffer l'huile à feu moyen-vif. Y faire sauter l'oignon, l'ail et les flocons de piment fort pendant 3 minutes ou jusqu'à ce qu'ils soient ramollis. Ajouter les saucisses en les émiettant et cuire jusqu'à ce que la chair soit brune.

■ Ajouter les épinards, le sel et le poivre, et laisser refroidir légèrement. Incorporer l'oeuf, la crème et la moitié du parmesan. Ajouter le basilic, si désiré, et le persil. Rectifier l'assaisonnement.

■ Trier 24 manicotti non abîmés et farcir chacun de 3 c. à table (45 ml) de la préparation à la viande.

■ Prendre deux moules de 13 × 9 po (3,5 L) et couvrir le fond de chacun avec 1 tasse (250 ml) de sauce au poivron rouge. Disposer les manicotti farcis en une seule couche sur la sauce. Couvrir du reste de sauce. Parsemer du reste de parmesan et du fromage suisse. Cuire au four à 350°F (180°C) pendant 30 à 35 minutes ou jusqu'à ce que le dessus soit doré et bouillonnant. Donne 10 à 12 portions.

SAUCE AU POIVRON ROUGE

3	poivrons rouges	3
3 c. à tab	huile d'olive	45 ml
1	oignon, haché	1
2	gousses d'ail, hachées fin	2
1	boîte (28 oz/796 ml) de tomates prunes (non égouttées)	1
1/4 c. à thé	sauce au piment fort	1 ml
	Sel et poivre	
1/2 t	crème à 35 %	125 ml

■ À l'aide d'un couteau-éplucheur, peler les poivrons. Les hacher grossièrement.

■ Dans une grande casserole, faire chauffer l'huile à feu moyen. Y cuire l'oignon et l'ail pendant 5 minutes ou jusqu'à ce qu'ils soient tendres et odorants. Ajouter les poivrons et cuire pendant 5 minutes ou jusqu'à ce qu'ils commencent à ramollir.

■ Ajouter les tomates en les défaisant avec une cuillère. Amener à ébullition. Réduire le feu et laisser mijoter, à couvert, pendant 30 minutes. Réduire la préparation en purée à l'aide du mélangeur ou du robot culinaire. Ajouter la sauce au piment fort, du sel et du poivre. Incorporer la crème et réchauffer. Donne 5 tasses (1,25 L) de sauce.

Tortellini aux trois fromages

Cette casserole, facile à préparer, regorge de fromage crémeux et de petits pois. Elle peut être apprêtée à l'avance, vous évitant ainsi le coup de feu habituel à l'heure du souper.

1	paquet (350 g) de tortellini au fromage ou à la viande	1
3 c. à tab	beurre	45 ml
1 t	pain frais émietté	250 ml
2	gousses d'ail, hachées fin	2
1	petit oignon, haché	1
4 c. à thé	farine	20 ml
1 t	lait	250 ml
1 c. à thé	basilic séché	5 ml
	Sel et poivre	
1 t	fromage mozzarella à faible teneur en matières grasses râpé	250 ml
1 t	fromage cottage à faible teneur en matières grasses	250 ml
1/2 t	parmesan frais râpé	125 ml
1 1/2 t	petits pois congelés	375 ml

■ Dans une grande casserole d'eau bouillante salée, cuire les tortellini selon les instructions données sur l'emballage. Bien égoutter et mettre dans un plat peu profond allant au four, d'une capacité de 8 tasses (2 L), graissé.

■ Entre temps, dans une grande poêle, faire fondre le beurre. En mettre 1 c. à table (15 ml) dans un petit bol et y incorporer le pain émietté. Réserver.

■ Ajouter l'ail et l'oignon dans la poêle et cuire à feu moyen, en remuant souvent, pendant 4 minutes ou jusqu'à ce que l'oignon soit ramolli. Saupoudrer de la farine et cuire en remuant pendant 1 minute. Incorporer graduellement le lait. Assaisonner des trois quarts du basilic, de sel et de poivre. Cuire en remuant pendant 2 à 3 minutes ou jusqu'à ce que la sauce soit épaisse et bouillonnante.

■ Retirer du feu et incorporer les trois fromages, un à un, jusqu'à ce que la sauce soit homogène. Verser sur les tortellini. Rincer les pois à l'eau chaude et les incorporer délicatement à la casserole.

■ Ajouter le reste du basilic au pain réservé et en parsemer la casserole. *(Le plat peut être préparé jusqu'à cette étape, couvert et réfrigéré pendant au plus 6 heures.)* Cuire, à découvert, au four préchauffé à 375°F (190°C) pendant 20 à 30 minutes ou jusqu'à ce que la préparation soit bouillonnante. Donne 4 portions.

Macaroni au jambon, aux épinards et au fromage

Ce plat de macaroni s'accompagne très bien d'une salade de chou, de carottes et de céleri.

1	paquet (10 oz/284 g) d'épinards, parés	1
3 t	macaronis (coudes)	750 ml
1/4 t	beurre	60 ml
1/4 t	farine	60 ml
3 1/2 t	lait	875 ml
	Poivre blanc	
	Une pincée de cayenne et de muscade	
4 t	cheddar fort râpé (environ 1 lb/500 g)	1 L
1 1/2 t	pain frais émietté	375 ml
6 oz	jambon cuit émincé	175 g

■ Laver les épinards et les secouer pour en retirer l'excès d'eau. Dans une casserole, faire cuire les épinards sans eau additionnelle jusqu'à ce qu'ils soient ramollis. Égoutter et laisser refroidir. Presser et hacher grossièrement. Mettre dans un bol.

■ Dans une grande casserole d'eau bouillante salée, cuire les macaronis pendant 7 minutes ou jusqu'à ce qu'ils soient tendres mais encore fermes. Bien égoutter et remettre dans la casserole.

■ Entre temps, dans une autre casserole, faire fondre 3 c. à table (45 ml) du beurre à feu moyen. Incorporer la farine et cuire, en remuant, pendant 1 minute. Incorporer le lait, un peu de poivre blanc, le cayenne et la muscade. Cuire en remuant jusqu'à ce que la sauce épaississe, pendant 5 minutes environ. Ajouter 3 tasses (750 ml) du fromage et remuer jusqu'à ce qu'il soit fondu. Réserver 1/2 tasse (125 ml) de la sauce et incorporer le reste aux macaronis. Réserver.

■ Dans le bol des épinards, ajouter la sauce réservée, 1/2 tasse (125 ml) du pain émietté et 1/2 tasse (125 ml) du reste de fromage. Assaisonner légèrement de poivre blanc et réserver.

■ Mettre un tiers de la préparation aux macaronis dans un plat profond, d'une capacité de 12 tasses (3 L), bien graissé. Couvrir des tranches de jambon. Étendre un autre tiers des macaronis, puis la préparation aux épinards, et enfin le reste des macaronis.

■ Mélanger le reste du pain émietté, le reste du fromage et du beurre. Parsemer uniformément le plat de ce mélange. *(Le macaroni peut être préparé jusqu'à cette étape, couvert et réfrigéré pendant 24 heures.)* Cuire au four préchauffé à 350°F (180°C) pendant 40 à 50 minutes ou jusqu'à ce que le dessus soit croustillant et doré. Donne 6 portions.

Lasagne légère

Apprêtée avec du poulet haché au lieu du boeuf, du fromage cottage à faible teneur en matières grasses et du fromage mozzarella écrémé, cette lasagne est beaucoup plus légère que la plupart des lasagnes.

1 c. à tab	huile d'olive	15 ml
1	oignon, haché	1
3	oignons verts, hachés	3
2	gousses d'ail, hachées fin	2
1/4 c. à thé	flocons de piment fort	1 ml
1 lb	poulet haché	500 g
1 t	carottes finement hachées	250 ml
1 t	céleri finement haché	250 ml
1 1/2 t	poivron rouge finement haché	375 ml
2	boîtes (28 oz/796 ml chacune) de tomates prunes, réduites en purée	2
1 c. à thé	sel	5 ml
1/2 c. à thé	poivre	2 ml
1/4 t	persil frais haché	60 ml
3/4 lb	lasagnes	375 g
2 t	fromage cottage à faible teneur en matières grasses	500 ml
2 t	fromage mozzarella écrémé râpé (environ 1/2 lb/250 g)	500 ml

■ Dans un faitout, faire chauffer l'huile à feu moyen. Y cuire l'oignon, les oignons verts, l'ail et les flocons de piment fort pendant 5 minutes ou jusqu'à ce que le mélange soit odorant.

■ Ajouter le poulet et cuire, en remuant, pendant 5 minutes ou jusqu'à ce qu'il ait perdu sa teinte rosée. Ajouter les carottes, le céleri et le poivron, et cuire en remuant pendant 5 minutes. Ajouter les tomates et amener à ébullition. Ajouter le sel et le poivre. Réduire le feu à moyen-doux et laisser mijoter pendant 35 à 45 minutes ou jusqu'à ce que la sauce soit épaisse. Incorporer le persil.

■ Dans une grande casserole d'eau bouillante salée, cuire les pâtes jusqu'à ce qu'elles soient presque tendres, pendant 2 minutes pour les pâtes fraîches, pendant 6 à 8 minutes pour les pâtes sèches. Égoutter et passer sous l'eau froide. Égoutter de nouveau et éponger.

■ Saler et poivrer le fromage cottage si désiré. Disposer un quart des pâtes, en une seule couche, dans un plat graissé de 13 × 9 po (3 L). Couvrir avec la moitié du fromage cottage, un quart de la sauce et un quart du fromage mozzarella. Disposer ensuite une couche de pâtes, une de sauce et une de fromage mozzarella. Étendre ensuite une couche de pâtes, une de fromage cottage, une de sauce et une de mozzarella. Terminer avec une couche de pâtes, une de sauce et une de mozzarella.

■ Couvrir de papier d'aluminium et cuire au four préchauffé à 375°F (190°C) pendant 50 minutes. Enlever le papier d'aluminium et poursuivre la cuisson pendant 10 minutes ou jusqu'à ce que la lasagne soit bouillonnante. Laisser reposer pendant 10 minutes avant de servir. Donne 8 portions.

Pâtes aux crevettes

Ce plat savoureux, mais faible en calories, fera le bonheur de tous ceux et celles qui surveillent leur ligne.

1 t	tomates en boîte (non égouttées)	250 ml
1/4 t	vin blanc sec	60 ml
1	petit oignon, tranché	1
1/2 c. à thé	basilic séché	2 ml
	Une pincée de sel et de poivre	
1/4 lb	crevettes, décortiquées et parées	125 g
1	petite courgette, râpée	1
1	gousse d'ail, hachée fin	1
1 c. à tab	persil frais haché	15 ml
1 1/2 c. à thé	huile d'olive	7 ml
6 oz	spaghetti, fettuccine ou linguine	175 g

■ Dans une casserole, mélanger les tomates, le vin, l'oignon, le basilic, le sel et le poivre. Amener à ébullition. Réduire le feu à moyen-doux et cuire, à découvert, pendant 20 minutes en remuant souvent.

■ Ajouter les crevettes, la courgette, l'ail, le persil et l'huile. Laisser mijoter pendant 5 minutes ou jusqu'à ce que les crevettes soient à peine roses (ne pas trop faire cuire les crevettes).

■ Entre temps, dans une grande casserole d'eau bouillante salée, cuire les pâtes jusqu'à ce qu'elles soient tendres mais encore fermes. Bien égoutter et disposer dans des assiettes individuelles. Napper de la sauce aux crevettes. Donne 2 portions.

LA CUISSON DES PÂTES

Pour bien réussir la cuisson des pâtes, il faut utiliser une grande casserole ou une marmite. L'eau pourra y bouillir vivement sans déborder et les pâtes ne colleront pas.

• *Amenez d'abord l'eau à ébullition. Ajoutez du sel, puis les pâtes. Amenez de nouveau à ébullition et remuez pour bien séparer les pâtes les unes des autres.*

• *Le temps de cuisson varie selon la grosseur et la forme des pâtes, et selon qu'elles sont fraîches ou sèches. Les pâtes fraîches requièrent environ 2 minutes de cuisson une fois que l'eau a recommencé à bouillir, et les pâtes sèches de 5 à 10 minutes.*

• *La cuisson terminée, égouttez les pâtes et utilisez-les immédiatement.*

Spaghetti au gratin

Tout le monde aime le spaghetti, et cette recette de spaghetti en casserole offre l'avantage de pouvoir être préparée à l'avance. Les pâtes seront tout aussi délicieuses apprêtées avec des saucisses douces qu'avec des saucisses épicées.

2 c. à tab	huile végétale	30 ml
4	gousses d'ail, hachées fin	4
1	gros oignon, haché	1
1	poivron vert, coupé en cubes	1
2 t	champignons tranchés	500 ml
2 lb	saucisses italiennes	1 kg
1	boîte (28 oz/796 ml) de tomates (non égouttées)	1
2 c. à thé	origan séché	10 ml
1 c. à thé	thym séché	5 ml
1/2 c. à thé	graines de fenouil	2 ml
1/4 c. à thé	poivre	1 ml
	Une pincée de flocons de piment fort	
6 oz	spaghetti	175 g
1/4 t	persil frais haché	60 ml

GARNITURE		
1/4 t	beurre	60 ml
1/4 t	farine	60 ml
2 t	lait	500 ml
2	oeufs, battus	2
1 c. à thé	moutarde sèche	5 ml
2 t	mozzarella râpée	500 ml
1/2 t	parmesan frais râpé	125 ml
2 c. à tab	chapelure	30 ml

■ Dans une grande casserole à revêtement anti-adhésif, faire chauffer l'huile à feu moyen. Y cuire l'ail, l'oignon, le poivron et les champignons jusqu'à ce qu'ils soient ramollis, pendant 7 minutes environ. À l'aide d'une écumoire, mettre dans un bol.

■ Couper les saucisses en tranches de 1/2 po (1 cm) d'épaisseur. Ajouter de l'huile dans la casserole si nécessaire, augmenter le feu à vif et faire dorer les saucisses. Égoutter le gras de la casserole et y remettre les légumes. Ajouter les tomates, l'origan, le thym, les graines de fenouil, le poivre et les flocons de piment fort. Amener à ébullition. Réduire le feu, couvrir et laisser mijoter, en remuant souvent, pendant 30 minutes.

■ Entre temps, casser les spaghetti en morceaux de 3 po (8 cm) de longueur. Dans une grande casserole d'eau bouillante salée, cuire les pâtes jusqu'à ce qu'elles soient tendres mais encore fermes, pendant 8 minutes environ. Bien égoutter. Ajouter à la préparation aux tomates. Incorporer le persil. Rectifier l'assaisonnement. Mettre dans un plat allant au four d'une capacité de 16 tasses (4 L), ou dans deux moules carrés de 8 po (2 L). Réserver.

■ **Garniture:** Dans une casserole à fond épais, faire fondre le beurre à feu moyen. Incorporer la farine et cuire pendant 1 minute en remuant constamment. Incorporer graduellement le lait. Amener à ébullition et cuire, en remuant constamment, jusqu'à ce que la sauce soit lisse et épaisse, pendant 5 minutes environ. Laisser refroidir légèrement. Incorporer les oeufs, la moutarde et le fromage mozzarella, et remuer jusqu'à ce que le fromage soit fondu. Verser uniformément avec une cuillère sur le spaghetti.

■ Mélanger le parmesan et la chapelure, et en parsemer uniformément le plat. *(Le spaghetti peut être préparé jusqu'à cette étape, couvert et réfrigéré pendant au plus 8 heures. Sortir du réfrigérateur 20 minutes avant de mettre au four.)* Cuire au four à 375°F (190°C) pendant 35 à 40 minutes ou jusqu'à ce que le dessus soit croustillant et doré. Laisser reposer pendant 10 minutes. Donne 8 portions.

Gratin de chili aux légumes

Servez ce chili à la saveur piquante avec du pain de maïs chaud et une salade de chou et de carottes.

1	aubergine (environ 1 lb/500 g)	1
2 c. à thé	sel	10 ml
1/4 t	huile d'olive	60 ml
3 t	poivrons rouge et vert coupés en dés	750 ml
2 t	oignons grossièrement hachés	500 ml
4	gousses d'ail, hachées fin	4
2 c. à tab	assaisonnement au chili	30 ml
1 c. à tab	cumin, basilic et origan séchés (chacun)	15 ml
1 1/2 c. à thé	poivre	7 ml
2	boîtes (28 oz/796 ml chacune) de tomates prunes	2
1	boîte (19 oz/540 ml) de haricots rouges, égouttés	1
1	boîte (19 oz/540 ml) de pois chiches, égouttés	1
4 t	cheddar fort râpé (environ 1 lb/500 g)	1 L

■ Couper l'aubergine en cubes de 1/2 po (1 cm). Mettre dans une passoire et saupoudrer du sel. Laisser dégorger pendant 1 heure. Rincer et éponger.

■ Dans une grande casserole à fond épais, faire chauffer l'huile à feu moyen. Y cuire l'aubergine, les poivrons, les oignons et l'ail pendant 6 minutes ou jusqu'à ce qu'ils soient ramollis.

■ Ajouter l'assaisonnement au chili, le cumin, le basilic, l'origan et le poivre. Laisser cuire pendant 3 minutes en remuant. Ajouter les tomates, en les défaisant avec une fourchette, et amener à ébullition. Réduire le feu et laisser mijoter, en remuant souvent, pendant 30 minutes ou jusqu'à ce que les légumes soient tendres.

■ Ajouter les haricots rouges et les pois chiches. Poursuivre la cuisson pendant 15 minutes ou jusqu'à ce que le chili ait épaissi. Rectifier l'assaisonnement. *(Le chili peut être préparé jusqu'à cette étape. Laisser refroidir, couvrir et congeler pendant au plus 3 mois, ou réfrigérer pendant au plus 2 jours.)*

■ Mettre le chili dans un plat peu profond d'une capacité de 10 tasses (2,5 L). Parsemer du fromage râpé. Faire griller pendant 4 minutes ou jusqu'à ce que le fromage ait fondu et soit doré. Donne 6 portions.

Courge spaghetti à la sauce au fromage

Ce plat savoureux se prépare au micro-ondes. Accompagnez-le d'une salade verte assaisonnée d'une vinaigrette au citron et de pain frais.

1	courge spaghetti (environ 3 1/2 lb/1,75 kg)	1
	SAUCE AU FROMAGE	
1/4 t	beurre	60 ml
1/2 t	fromage à la crème, coupé en cubes	125 ml
2 c. à tab	crème à 10 %	30 ml
2 c. à tab	parmesan frais râpé	30 ml
	Sel et poivre	
2 c. à tab	oignon vert haché	30 ml
2 c. à tab	noix de Grenoble grillées et hachées	30 ml

■ Percer la courge en quatre endroits et la mettre dans un grand plat. Cuire au micro-ondes à puissance maximale pendant 4 minutes. Retourner la courge et cuire pendant 4 minutes. Laisser reposer pendant 10 minutes.

■ Couper la courge en deux dans le sens de la longueur et retirer les graines. Couvrir et cuire chaque demi-courge pendant 4 minutes ou jusqu'à ce que les fibres de la courge se soulèvent facilement avec une fourchette. Avec la fourchette, retirer la pulpe fibreuse et la remettre dans la coquille. Couvrir et réserver.

■ **Sauce au fromage:** Dans une tasse à mesurer ou une casserole d'une capacité de 8 tasses (2 L), faire fondre le beurre au micro-ondes à puissance maximale pendant 25 secondes. Ajouter le fromage à la crème et cuire à puissance maximale, en remuant souvent, pendant 1 1/2 minute ou jusqu'à ce que le fromage ait ramolli. Incorporer en fouettant la crème et le parmesan. Saler et poivrer.

■ Ajouter la courge à la sauce et remuer pour bien enrober. Parsemer chaque portion d'oignon vert et de noix. Donne 4 portions.

LE FROMAGE: ENCORE ET TOUJOURS PLUS!

Dans les supermarchés, le comptoir des produits laitiers regorge de fromages de toutes sortes. De la mozzarella de lait entier bien crémeuse, du camembert ''bien fait'', de l'emmenthal à la douce saveur de noix, du brie onctueux, du gouda bien dodu dans sa coquille de cire rouge. Et toutes les variétés de cheddar, blanc et orange — doux, moyen, fort et extra-fort — sans oublier son cousin, le savoureux colby.

• Plus les plats légers et les plats aux légumes gagnent la faveur populaire, plus le fromage occupe une place importante dans l'alimentation. Vous trouverez dans ce chapitre sur les plats aux légumes plusieurs recettes de délicieux plats apprêtés avec du fromage qui sauront satisfaire les goûts les plus divers.

Riz au poivron, au maïs et au fromage

Ce plat végétarien peut être préparé avec plusieurs autres fromages que le Colby. Vous pouvez utiliser, entre autres, du brick, du fontina, du friulano, du Monterey Jack, du gouda ou du fromage suisse.

3 t	eau	750 ml
1 1/2 t	riz étuvé à grain long	375 ml
1/2 c. à thé	sel	2 ml
2 c. à tab	beurre	30 ml
1	gros poivron rouge, paré	1
2 t	fromage Colby râpé (environ 1/2 lb/250 g)	500 ml
1/2 t	grains de maïs cuit	125 ml
1/2 t	oignons verts tranchés	125 ml
1/4 c. à thé	sauce au piment fort	1 ml
1 t	crème sure	250 ml
2/3 t	parmesan frais râpé	150 ml
1/4 t	chapelure grossière	60 ml

■ Dans une casserole à fond épais, amener l'eau à ébullition. Ajouter le riz et le sel. Réduire le feu à doux, couvrir et cuire pendant 25 minutes ou jusqu'à ce que le riz soit tendre et que le liquide ait été absorbé. Incorporer le beurre et réserver.

■ Entre temps, dans une petite casserole d'eau bouillante, cuire le poivron rouge pendant 3 minutes ou jusqu'à ce que la peau se détache de la pulpe. Laisser refroidir légèrement. Peler et hacher grossièrement.

■ Ajouter le poivron, le Colby, le maïs, les oignons verts et la sauce au piment fort au riz. Mélanger. Mettre le riz aux légumes dans un plat allant au four, d'une capacité de 8 tasses (2 L), graissé, et presser doucement. *(Le plat peut être préparé jusqu'à cette étape, couvert et réfrigéré pendant 24 heures.)*

■ Étendre la crème sure sur le riz. Parsemer du parmesan et de la chapelure. Cuire au four préchauffé à 400°F (200°C) pendant 20 à 30 minutes ou jusqu'à ce que le riz soit bien chaud et le dessus bien doré. Donne 6 portions.

Pâté tamale

Traditionnellement, les tamales *sont de petites boulettes enrobées de pâte et enveloppées dans des feuilles de maïs. Pour être préparé rapidement, ce mets requiert beaucoup de pratique. Cette variante élimine les feuilles de maïs et l'enrobage de pâte en superposant dans un plat la pâte à la farine de maïs et la garniture piquante aux haricots et à la tomate.*

1/2 t	beurre, ramolli	125 ml
1 1/2 t	farine de maïs	375 ml
1 t	farine tout usage	250 ml
1 c. à thé	cumin	5 ml
1/4 c. à thé	sel	1 ml
2 1/2 t	eau chaude	625 ml
	GARNITURE	
1	boîte (14 oz/398 ml) de haricots, égouttés	1
2	gousses d'ail, hachées fin	2
1/4 c. à thé	sel	1 ml
1	boîte (14 oz/398 ml) de sauce tomate	1
1 c. à thé	origan séché	5 ml
1/2 c. à thé	piment de la Jamaïque	2 ml
1	piment chili fort, épépiné et haché fin	1
1	poivron vert, coupé en dés	1
1	oignon, haché	1
	Feuilles de céleri (facultatif)	

■ Dans un bol, battre le beurre jusqu'à ce qu'il soit crémeux. Incorporer, en battant, la farine de maïs, la farine tout usage, le cumin et le sel. Incorporer graduellement l'eau en battant. Réserver.

■ **Garniture:** Dans un bol, mélanger les haricots, l'ail, le sel, la sauce tomate, l'origan, le piment de la Jamaïque, le piment, le poivron et l'oignon.

■ Étendre la moitié de la pâte à la farine de maïs dans un plat peu profond, d'une capacité de 8 tasses (2 L), graissé. Recouvrir de la garniture aux haricots, puis du reste de la pâte.

■ Cuire au four préchauffé à 325°F (160°C) pendant 1 heure environ ou jusqu'à ce que la pâte soit cuite. Garnir des feuilles de céleri si désiré. Donne 8 portions.

Casserole de raclette

La raclette, un plat suisse, est tout simplement du fromage fondu que l'on déguste avec des pommes de terre. Cette variante, apprêtée en casserole, est tout aussi délicieuse et plus pratique. Vous pouvez remplacer l'oka par un fromage de type suisse comme l'emmenthal. Accompagnez d'une salade verte, de cornichons et de petits oignons marinés.

6	grosses pommes de terre nouvelles (environ 2 1/2 lb/1,25 kg)	6
1	grosse carotte	1
1	grosse tige de brocoli	1
2 c. à tab	beurre	30 ml
3 t	champignons tranchés (environ 1/2 lb/250 g)	750 ml
	Sel et poivre	
6 t	fromage d'Oka râpé (environ 1 1/2 lb/750 g)	1,5 L

■ Peler les pommes de terre si désiré. Dans une grande casserole d'eau bouillante salée, cuire les pommes de terre pendant 20 à 30 minutes ou jusqu'à ce qu'elles soient à peine tendres.

■ Entre temps, couper la carotte en biais en tranches de 1/4 po (5 mm) d'épaisseur. Ajouter aux pommes de terre 5 minutes avant la fin de la cuisson. À l'aide d'une écumoire, retirer les pommes de terre et la carotte. Laisser refroidir légèrement. Émincer les pommes de terre et réserver avec la carotte dans des bols séparés.

■ Peler la tige du brocoli et la couper avec la tête en bouchées. Mettre dans la casserole d'eau bouillante et cuire pendant 2 minutes. Égoutter et passer sous l'eau froide. Réserver. Dans une poêle, faire fondre le beurre à feu moyen. Y cuire les champignons, en remuant de temps à autre, pendant 6 minutes ou jusqu'à ce qu'ils soient tendres.

■ Dans un plat peu profond allant au four, d'une capacité de 8 tasses (2 L), graissé, disposer la moitié des pommes de terre en faisant se chevaucher les tranches. Saler et poivrer. Parsemer de 2 tasses (500 ml) du fromage. Recouvrir de la carotte, du brocoli et des champignons. Saler et poivrer.

■ Parsemer les légumes de 1 tasse (250 ml) du fromage. Recouvrir avec le reste des pommes de terre en les faisant se chevaucher. Saler et poivrer. Parsemer du reste de fromage. *(Le plat peut être préparé jusqu'à cette étape, couvert et réfrigéré pendant 2 heures.)*

■ Cuire au four préchauffé à 350°F (180°C) pendant 30 à 40 minutes ou jusqu'à ce que la préparation soit bien chaude et le fromage fondu. Faire griller pendant 1 à 2 minutes, jusqu'à ce que le dessus soit bien doré. Donne 6 portions.

Tarte au fromage et au maïs

Cette tarte, tout à fait originale, se prépare en un clin d'oeil. Servez-la avec de la sauce chili et une salade de laitue romaine et d'oignons émincés.

2 c. à tab	chapelure	30 ml
10	tranches de bacon, cuit et émietté (facultatif)	10
1 t	cheddar doux râpé	250 ml
1	oignon, haché fin	1
1/2	poivron vert, coupé en dés	1/2
1 t	maïs en grains, en boîte ou dégelé	250 ml
	Une pincée de sel	
1/4 c. à thé	poivre noir	1 ml
	Une pincée de cayenne	
1/2 t	farine tout usage	125 ml
1 c. à thé	levure chimique (poudre à pâte)	5 ml
2 c. à tab	graisse végétale (shortening)	30 ml
4	oeufs	4
2 t	lait	500 ml

■ Graisser avec du beurre un moule à quiche ou à tarte de 10 po (25 cm). Parsemer de la chapelure.

■ Dans un bol, mélanger le bacon, si désiré, le fromage, l'oignon, le poivron, le maïs, le sel, le poivre et le cayenne. Étendre dans le moule sans tasser.

■ Dans un petit bol, mélanger la farine et la levure chimique. À l'aide de deux couteaux, incorporer la graisse végétale jusqu'à ce que la préparation soit friable.

■ Dans un autre bol, à l'aide du batteur électrique, battre les oeufs avec la préparation à la farine et le lait jusqu'à consistance homogène. Verser dans le moule. Cuire au four préchauffé à 350°F (180°C) pendant 45 à 50 minutes ou jusqu'à ce qu'un couteau inséré au centre de la tarte en ressorte propre. Laisser reposer pendant 5 minutes. Donne 4 portions.

Frittata au spaghetti

Cette omelette apprêtée avec des pâtes alimentaires se prépare en un tournemain. Vous pouvez l'accompagner de sauce tomate ou de sauce chili.

1/2 lb	spaghetti	250 g
1/3 t	parmesan frais râpé	75 ml
1/4 t	beurre	60 ml
2 c. à tab	persil frais haché	30 ml
4	oeufs	4
1/2 c. à thé	sel et poivre (chacun)	2 ml

■ Dans une casserole d'eau bouillante salée, cuire les pâtes jusqu'à ce qu'elles soient tendres mais encore fermes. Bien égoutter et remettre dans la casserole. Incorporer le parmesan, 3 c. à table (45 ml) du beurre et le persil. Laisser refroidir légèrement.

■ Dans un petit bol, battre les oeufs avec le sel et le poivre. Ajouter aux pâtes et bien mélanger.

■ Dans une grande poêle à revêtement anti-adhésif, faire chauffer le reste du beurre à feu moyen jusqu'à ce qu'il mousse. Verser la préparation et l'étendre uniformément. Cuire pendant 4 à 5 minutes ou jusqu'à ce que le dessous soit bien doré. À l'aide d'une spatule, retourner la frittata et poursuivre la cuisson pendant 3 à 4 minutes ou jusqu'à ce que le dessous soit bien doré. Couper en pointes et servir aussitôt. Donne 4 portions.

LA CONSERVATION DES OEUFS

Les oeufs sont une denrée périssable. Il faut les conserver au réfrigérateur, en mettant la grosse extrémité en l'air, dans leur contenant d'origine plutôt que dans la porte du réfrigérateur où les vibrations et les changements de température risquent de les altérer. Comme ils peuvent absorber les odeurs, il vaut mieux les ranger loin des aliments qui sentent fort.

Enchiladas au fromage et aux épinards

Les enchiladas sont des tortillas enroulées autour d'une garniture de légumes, de fromage ou de viande, et nappées d'une sauce à la tomate, au piment chili vert ou au fromage. Utilisez les tortillas molles, et non les tortillas croustillantes de type taco, pour préparer ce plat.

3 c. à tab	huile végétale	45 ml
1	gros oignon, haché	1
2	gousses d'ail, hachées fin	2
2	paquets (10 oz/284 g chacun) d'épinards, hachés	2
1/2 t	crème sure	125 ml
	Sel et poivre	
16	tortillas de 6 po (15 cm), fraîches ou en conserve	16
2 1/2 t	cheddar râpé	625 ml
	SAUCE	
2 c. à tab	beurre	30 ml
2 c. à tab	farine	30 ml
1 t	lait chaud	250 ml
1 1/2 t	cheddar râpé	375 ml
1 t	crème sure	250 ml
1 c. à tab	piment jalapeño ou chili vert*, frais ou en conserve, haché	15 ml
	Poivre	

■ Dans une grande casserole, faire chauffer la moitié de l'huile à feu moyen. Y cuire l'oignon jusqu'à ce qu'il soit tendre, pendant 3 à 5 minutes. Incorporer l'ail. Ajouter les épinards et cuire, en remuant, pendant 3 minutes ou jusqu'à ce qu'ils soient ramollis et que le liquide se soit évaporé. Retirer du feu et incorporer la crème sure. Saler et poivrer.

■ Dans une poêle, faire chauffer le reste de l'huile à feu moyen. Y faire chauffer une tortilla, en la retournant une fois, pendant 30 secondes ou jusqu'à ce qu'elle soit ramollie. Mettre sur du papier absorbant.

■ Étendre une grosse cuillerée à table (15 ml) de la préparation aux épinards au centre de la tortilla. Parsemer d'un peu de cheddar râpé et rouler. Faire de même avec les autres tortillas. Disposer les tortillas, le pli en dessous, dans deux plats allant au four de 13 × 9 po (3,5 L), graissés.

■ **Sauce:** Dans une casserole, faire fondre le beurre à feu doux. Incorporer la farine et cuire, en remuant, pendant 1 minute. Ajouter le lait chaud et augmenter le feu à moyen-vif. Cuire, en remuant avec un fouet, jusqu'à ce que la sauce bouille et épaississe. Réduire le feu à doux et laisser mijoter pendant 2 minutes.

■ Incorporer le cheddar, la crème sure, le piment et du poivre. Remuer jusqu'à ce que le fromage soit fondu. Verser sur les enchiladas. *(Les enchiladas peuvent être préparées jusqu'à cette étape, couvertes et réfrigérées pendant au plus 2 jours.)*

■ Cuire, à découvert, au four préchauffé à 350°F (180°C) pendant 25 à 30 minutes. Donne 6 à 8 portions.

*Le piment chili vert est plus doux que le piment jalapeño. Si désiré, en mettre un peu plus que la quantité indiquée.

Remerciements

Les personnes suivantes ont créé les recettes de la COLLECTION CULINAIRE COUP DE POUCE:
Elizabeth Baird, Karen Brown, Joanna Burkhard, James Chatto, Diane Clement, David Cohlmeyer, Pam Collacott, Bonnie Baker Cowan, Pierre Dubrulle, Eileen Dwillies, Nancy Enright, Carol Ferguson, Margaret Fraser, Susan Furlan, Anita Goldberg, Barb Holland, Patricia Jamieson, Arlene Lappin, Anne Lindsay, Lispeth Lodge, Mary McGrath, Susan Mendelson, Bernard Meyer, Beth Moffatt, Rose Murray, Iris Raven, Gerry Shikatani, Jill Snider, Kay Spicer, Linda Stephen, Bonnie Stern, Lucy Waverman, Carol White, Ted Whittaker et **Cynny Willet**.

Photographes: **Fred Bird, Doug Bradshaw, Christopher Campbell, Nino D'Angelo, Frank Grant, Michael Kohn, Suzanne McCormick, Claude Noel, John Stephens** et **Mike Visser**.

Rédaction et production: Hugh Brewster, Susan Barrable, Catherine Fraccaro, Wanda Nowakowska, Sandra L. Hall, Beverley Renahan et Bernice Eisenstein.

Texte français: Marie-Hélène Leblanc.

Index

PROCUREZ-VOUS CES LIVRES À SUCCÈS DE LA COLLECTION
COUP DE POUCE
Le magazine pratique de la femme moderne

CUISINE SANTÉ

Plus de 150 recettes nutritives et délicieuses qui vous permettront de préparer des repas sains et équilibrés, qui plairont à toute votre famille. Des entrées appétissantes, des petits déjeuners et casse-croûte tonifiants, des salades rafraîchissantes, des plats sans viande nourrissants et des desserts légers et délectables. Ce livre illustré en couleurs contient également des tableaux sur la valeur nutritive de chaque recette, des informations relatives à la santé et à l'alimentation, et des conseils pratiques sur l'achat et la cuisson des aliments....*24,95 $ couverture rigide*

CUISINE MICRO-ONDES

Enfin un livre qui montre comment tirer parti au maximum du micro-ondes. Ce guide complet présente plus de 175 recettes simples et faciles, 10 menus rapides pour des occasions spéciales, l'ABC du micro-ondes, des tableaux et des conseils pratiques. Vous y trouverez tout, des hors-d'oeuvre raffinés aux plats de résistance et aux desserts alléchants. Un livre indispensable si l'on possède un micro-ondes....*29,95 $ couverture rigide*

CUISINE D'ÉTÉ ET RECETTES BARBECUE

Profitez au maximum de la belle saison grâce à ce livre abondamment illustré de merveilleuses photos en couleurs regroupant plus de 175 recettes et 10 menus. Outre des grillades de toutes sortes, vous y trouverez des soupes froides, des salades rafraîchissantes, de savoureux plats d'accompagnement et de superbes desserts. Des informations précises et à jour sur l'équipement et les techniques de cuisson sur le gril font de ce livre un outil complet et essentiel pour la cuisine en plein air....*24,95 $ couverture rigide*

Ces trois livres de la collection *Coup de pouce* sont distribués par Diffulivre et vendus dans les librairies et les grands magasins à rayons. Vous pouvez vous les procurer directement de *Coup de pouce* en envoyant un chèque ou un mandat postal (au nom de *Coup de pouce*) au montant indiqué ci-dessus, plus 3 $ pour les frais d'envoi et de manutention et 7 % de TPS sur le montant total, à: *Coup de pouce*, C.P. 6416, Succursale A, Montréal (Québec), H3C 3L4.